BEDPLASSEN, WAT DOE IK ERAAN?

Pediatrisch Uro-Nefrologisch Centrum

BEDPLASSEN, WAT DOE IK ERAAN?

Een geïntegreerde aanpak van diverse benaderingswijzen
Bedplassen kan in de meeste gevallen verholpen worden
Pasklare adviezen voor elk type plasprobleem

lannoo | TERRA

Inhoud

1 Dagboek van een Joris: een bedplasser

Dr. Johan Vande Walle, kindernefroloog
Dit verhaal werd samen met de 12-jarige Carolien geschreven en is vooral bedoeld voor kinderen.

Joris is 2,5 jaar

Joris kan nog niet naar de kleuterschool, want hij is nog niet zindelijk overdag. Mama is het gaan vragen aan de juffrouw, maar hij mag pas naar school als hij geen pamper meer draagt. Thuis wordt iedereen ongedurig: Joris moet en zal zindelijk worden. Een drietal maanden later is hij dan 'zindelijk'. Af en toe gebeurt er nog wel een ongelukje, en dagelijks heeft hij nog wat natte broekjes.

Joris is 6 jaar

Joris moet zo vaak gaan plassen, en als hij niet op tijd het toilet bereikt, is het prijs, dan heeft hij een natte broek. Tijdens de les moet hij steeds vragen of hij naar het toilet mag. Dan kijkt de lerares boos naar hem, en vraagt of hij weer interessant moet doen, of hij weer eens niet naar het toilet geweest is tijdens het speelkwartiertje. De andere kinderen lachen hem uit telkens als hij zijn vinger opsteekt. Nu heeft de juffrouw een systeem van goede en slechte punten uitgevonden, rode en groene bollen noemt ze dat. Telkens wanneer Joris naar het toilet moet, dient hij een goed punt in te leveren, dat is niet eerlijk. 's Morgens gaat hij naar school zonder zijn glas melk leeg te drinken, om minder te moeten plassen, maar zelfs dan lukt het niet altijd.

Joris is 7 jaar

Joris plast nog elke nacht in zijn pamper, maar dat vindt hij niet erg. Mama en papa beginnen er wel steeds meer en meer over te zeuren. Veel erger voor hemzelf is dat hij regelmatig overdag nog enkele druppeltjes urine verliest. Vooral in de gymnastiekles is dat heel vervelend. Als de andere kinderen het zien, zullen ze om hem lachen...

Joris is 8 jaar

Als Joris zindelijk is tegen de grote vakantie, gaat het gezin een verre reis maken. Maar zolang hij 's nachts nog nat is, kan het echt niet, en

Figuur 1

dan wordt heel het gezin gestraft omdat hij nog niet zindelijk is. Mama zegt dat als hij geen pamper meer hoeft te dragen en hij zijn best doet, hij dan een grote jongen zal zijn. Nu draagt Joris 's nachts geen pamper meer en wil hij zo graag zijn best doen. 's Avonds denkt hij echt: het gaat niet gebeuren vannacht, en 's morgens vindt hij het echt erg dat het weer niet gelukt is, maar niemand schijnt hem te geloven. Zijn vriendje heeft hem gevraagd om te komen logeren, maar dat kan hij niet. Wat is bedplassen toch stom!

Joris is 9 jaar

Dit schooljaar is voor Joris een echte hel geweest, al vanaf Nieuwjaar werd er in de klas alleen maar gesproken over 'de bosklassen': het grote avontuur. De lerares vertelde wekelijks wel iets over wat ze zouden doen, en over wat er allemaal kon mislopen. Vorig jaar was de lerares in een sloot gegleden en toen ze eruit kroop, zat ze helemaal onder de modder. De kinderen hadden gezegd dat ze er als een echte heks uitzag. Toen was ze achter hen aangelopen, en het ontaardde in een echt moddergevecht... Leuk hé! Alle kinderen fantaseerden over het kattenkwaad dat ze zouden uithalen, over het kussengevecht dat ze zouden organiseren, en over hoe ze 's nachts bij elkaar in bed zouden kruipen. Hoewel Joris druk meefantaseerde, wist hij: ik wil niet mee op bosklassen, ik blijf liever thuis, want als ze eens zouden ontdekken

dat ik nog een pamper draag... Mama wou er met de juffrouw over praten, maar dat wou Joris niet. Deze juffrouw, van wie hij een beetje het lievelingetje was, zou hem niet meer leuk vinden, zou denken dat hij nog een klein kind was, en dat wilde hij niet.
Mama schreef hem dus in voor de bosklassen, maar 3 dagen voor het kamp werd hij plots ziek en bleef thuis. Hij moest echter heel de tijd binnen blijven zodat niemand kon zien dat hij niet echt ziek was.
Zijn jongere broer dreigde ermee het op school te vertellen waarom Joris eigenlijk niet was meegegaan op kamp, als hij niet Joris' elektrische trein mocht hebben, die mooie elektrische trein die Joris van oom Jef, zijn peter, gekregen had voor zijn zevende verjaardag, en die het liefste speelgoed was dat hij had... Joris moest de trein wel geven of iedereen in de klas zou het weten, en dat overleefde hij niet.
De maandag na de bosklassen ging hij met loden schoenen naar school. Iedereen vertelde de wildste verhalen en hij was zo verdrietig dat hij het niet had kunnen meemaken. Plotseling begon één van de jongens om hem te lachen. Hij zei dat Joris het niet had gedurfd om mee te gaan, dat hij bang was geweest om zijn moeder achter te laten, dat hij mama's troetelkindje was, en iedereen lachte mee. Oh, wat moest Joris toen huilen. Vanaf die dag ging hij niet meer graag naar school, iedereen lachte hem uit, iedereen liet hem links liggen. Zijn vroegere vriend was tijdens het kamp met een andere jongen bevriend geraakt, en nu was hij alleen.
Mama zag haar zoontje wegkwijnen, maar kon er niets aan doen. Zijn schoolresultaten gingen achteruit. Eindelijk werd het dan toch 1 juli, vakantie, en naar die school wou hij niet meer terug.

Joris is 10 jaar

Joris was van school veranderd. Hij had weer nieuwe vrienden en werd niet meer uitgelachen, maar vanaf nieuwjaar daagde opnieuw het spookbeeld van de bosklassen op. Op de nieuwe school werden die een jaar later gehouden. Enerzijds was hij blij, want hij wou het toch eens meemaken, anderzijds was hij opnieuw bang, want hij wist niet hoe hij er deze keer zonder kleerscheuren van af zou kunnen komen. Mama had zich deze keer niet laten ompraten en was met de leraar gaan praten. Tot Joris' verwondering bleek de leraar hier geen probleem van te maken, hij zei zelfs dat dat ieder jaar voorkwam. Hij zei ook dat Joris het best gewoon een pamper kon dragen onder een dikke pyjama en een dikke badjas. Niemand zou dit zien! Hoewel Joris bang was dat het ontdekt zou worden, ging hij toch mee op kamp. Alles wat hij nodig had, zat veilig opgeborgen in zijn koffer die op slot kon. Niemand kon erin kijken.

Figuur 2

Joris sliep met drie andere jongens op een kamer. Er was een grote kast waarin ze hun kleren konden leggen, maar er was maar plaats voor de kleren van drie personen. De andere jongens ruzieden er eerst om wie de kast mocht hebben, en wie zijn kleren in de koffer moest laten. Uiteindelijk zouden ze erom loten. Maar toen bood Joris aan om zich op te offeren, hij zei dat zijn kleren wel in de koffer konden blijven. Iedereen vond hem een toffe knul, wat was hij opgelucht... 's Avonds, net voor de lichten werden uitgedaan, ging hij nog naar de badkamer en deed zijn pamper aan. Bij het terugkomen was hij bang dat de jongens het zouden zien, maar onder zijn badjas kon niemand iets vermoeden. Hij was bang dat ze het kraken van het plastic zouden horen, en durfde zich niet te draaien in zijn slaapzak. Het duurde dan ook lang eer hij in slaap viel. 's Morgens stond hij als laatste op, ging naar de badkamer toen iedereen al beneden was, deed zijn pamper af en stak die in een plastic zak die hij in de grote vuilcontainer gooide. Niemand had het gezien, oef! De volgende dagen verliepen probleemloos, en Joris beleefde de leukste dagen van zijn leven.

Joris is 11 jaar

De angst van vorig jaar dat de kinderen zouden ontdekken dat hij nog een pamper moest dragen, die schrik wilde Joris dit jaar niet nog een tijdens een schoolkamp beleven. Hij moest en zou zindelijk worden. Reeds in september had mama de huisarts geraadpleegd. Die had kleine witte pilletjes, in een blauw doosje verpakt, voorgeschreven. Hiervan nam hij er ééntje voor het slapengaan. Soms werd hij 's nachts wakker van de dorst en was die nacht dan droog, maar meestal hielp het niet. Iedereen zei dat hij te vast sliep, dat hij niet wilde opstaan, maar dat was niet zo, hij wou het zo graag, maar hij werd niet wakker... Mama had gehoord van een homeopathisch middeltje, maar ook dat hielp niet. Bij een mutualiteit (of een kruisvereniging) kon mama een plaswekker huren. Die liep iedere nacht af en wekte alle andere gezinsleden, alleen Joris werd er niet of te laat wakker van. Het was om echt depressief van te worden, het zou wel nooit overgaan. En net nu Joris het steeds moeilijker kreeg met dat bedplassen, net nu hij wanhopiger en wanhopiger werd, leken ook het begrip en het geduld van mama en papa op te zijn. Al die jaren waren ze er zo goed mee omgegaan, zonder hem verwijten te maken, maar nu schoven ze meer en meer de schuld op hem, en dat was niet eerlijk. Iedere morgen kwam hij de trap af met neergeslagen ogen, iedere dag voelde hij de omhooggerichte blikken van mama en papa in zich branden, en iedere dag opnieuw zag hij dan hoe ze, zonder een woord te zeggen, ontgoocheld weer naar hun bord keken en verder aten. Ze dachten dat hij er zijn best niet voor deed, maar hij deed echt wel zijn best, hij had er alles voor willen doen om zijn lieve mama gelukkig te maken.

Figuur 3

In februari moest de beslissing vallen: zou hij deelnemen aan de zeeklassen of niet? Tot de laatste dag twijfelde hij. Toen is zijn mama met hem naar de leraar gegaan en ze heeft verteld dat Joris nog in zijn bed plaste. Oh, wat was hij beschaamd, hij had wel door de grond kunnen zinken. Maar de leraar vertelde dat dat niet zo erg was, en dat er nog een andere jongen in de klas was, Reynder, die ook in zijn bed plaste. Joris kon zijn oren niet geloven, hij was 11 jaar oud en er was nog een

andere jongen van zijn leeftijd die met hetzelfde probleem te kampen had, dat was het beste nieuws dat hij ooit had gehoord. De leraar vertelde dat hij de gewoonte had om kinderen met dat probleem samen met hem in een kamer te laten slapen, en hen midden in de nacht wakker te maken om te gaan plassen, en dat dit altijd lukte.
Blij gestemd trok Joris op zeeklas. De leraar hield zijn belofte. Iedere nacht haalde hij de beide jongens om middernacht uit bed en liet hen plassen, en zo waren ze droog, ongelooflijk, ze waren droog!
Joris had Reynder altijd een beetje een stille gevonden, het was iemand waar hij niet zoveel contact mee had gezocht, maar nu ze samen dit vreselijke geheim hadden, werden ze echt goede vrienden. Reynder bleek een prima knul te zijn.
Het ging drie dagen goed, maar op de vierde dag begon een jongen van de klas hen te treiteren. Hij zei dat ze de lieverdjes van de leraar waren, dat ze vleiers waren omdat ze in de kamer van de leraar sliepen. En toen, die laatste morgen, was zijn bed nat... Joris kon erbij huilen. De leraar zei dat het niet erg was, en maakte alles schoon voordat iemand het kon zien. Reynder probeerde hem te troosten, maar dat hielp niet want Reynder was een grote jongen, hij had niet in zijn bed geplast. Joris voelde zich gebroken, hij had weer gefaald, en even had hij toch de hoop gehad dat hij het probleem zou overwinnen... Toen de bus die hen naar huis bracht, voor de schoolpoort stopte, zag Joris mama en papa kijken. Maar toen ze de droevige blik in zijn ogen zagen, zag hij ook de ontgoocheling op hun gelaat verschijnen. Ze zeiden wel dat het niet erg was, dat hij zijn best had gedaan, maar diep in zijn hart wist hij dat hij weer had gefaald, dat hij hen weer verdriet had aangedaan...

Figuur 4

Joris is 12 jaar

Joris gaat eindelijk mee op vakantiekamp met de jeugdbeweging. Al die jaren heeft hij uitvluchten moeten vinden om uit te leggen waarom hij niet mee kon gaan kamperen. Zijn ouders hebben zelfs nog hun vakantie net in die periode gepland, omdat hij daarmee weer eens een geldige reden had. Maar nu kan hij er echt niet onderuit. Reynder, die inmiddels zijn beste vriend is geworden, heeft gedreigd een andere vriend te nemen als hij niet mee gaat. Als Joris echt mama's troetelkindje is dat zelfs geen week van huis weg wil gaan, dan wil Reynder niet meer met hem bevriend blijven... En Joris heeft maar één echt goede vriend! Reynder heeft gezegd dat hij niemand iets zal vertellen van dat bedplassen, maar hij heeft gemakkelijk praten want hij is inmiddels zindelijk geworden.
Joris is een flink uit de kluiten gewassen jongen geworden die groter en sterker is dan de andere kinderen van zijn leeftijd. Omdat hij bang is dat iemand zijn probleem zal ontdekken, dreigt hij de andere kinderen, begint stoere taal te verkondigen en hangt de rebel uit. Dat maakt hem wel tot haantje-de-voorste van de groep, iedereen kijkt naar hem op en niemand durft een vinger naar hem uit te steken, maar bij de leiding en ook bij de andere kinderen maakt hij zich hiermee niet echt populair. In stilte is hij daar wel verdrietig om, maar hij is zo bang om opnieuw gekwetst te worden. 's Nachts kruipt hij als laatste in zijn slaapzak, nadat hij vlug nog eens heeft geplast. Maar 's morgens is hij nat. Ontgoocheld trekt hij zijn pyjama uit terwijl hij nog in zijn slaapzak ligt, en stopt die zo diep mogelijk in de slaapzak. Als Reynder infor-

Figuur 5

meert hoe het ermee staat, antwoordt hij: 'everything is OK', want dat staat beter. Elke nacht kruipt hij opnieuw in zijn natte pyjama en in zijn natte slaapzak. Niemand merkt wat, en dus heeft hij het ervoor over. De laatste dag beginnen er twee jongens om hem te lachen: ze noemen hem de 'stinker', ze zeggen dat hij akelig ruikt. Daarop begint Joris te vechten. Uiteindelijk komt de kampleiding tussenbeide en krijgt hij de schuld van alles. Iedereen is tegen hem, behalve Reynder die hem verdedigt.

Joris is 13 jaar

Na het kamp was Joris depressief. Nu gaat hij iedere week naar een kinderpsychiater. Die spreekt met hem over zijn probleem en vertelt hem hoe hij ermee om moet gaan. Maar zindelijk wordt hij niet. Het zal wel nooit gaan... Op school gedraagt hij zich 'lekker stoer', zeker als hij op de bromfiets van zijn broer mag zitten. Niemand durft nog met hem lachen. Op een dag leest mama in een boekje over het rationeel aanpakken van bedplassen: dat men eerst de oorzaak moet zoeken en deze behandelen, en dat het dan wel lukt. Er is weer hoop. Volgende week gaan mama en Joris naar de dokter met het boekje in de hand. Zou het deze keer de goede keer zijn?

Figuur 6

2 De anatomie van de urinewegen en de organen die ermee in verband staan: een inleiding tot het medische jargon

Dr. Karel Everaert, uroloog

Een elementaire kennis van de urinewegen en de organen die ermee in verband staan, is nodig om de volgende hoofdstukken te kunnen volgen en de ziektebeelden te begrijpen. Hoewel het symptoom (bedplassen) op het eerste gezicht naar de blaas verwijst, kunnen ook het zenuwstelsel en de bekkenbodemspier de primair zieke organen zijn. Stoornissen van het zenuwstelsel en de bekkenbodemspier kunnen, naast blaasstoornissen, eveneens tot afwijkingen leiden in de seksuele functies en stoelgangfuncties. Een beschrijving van urinewegen, endeldarm, anus, bekkenbodem, genitale organen en delen van het zenuwstelsel is voor het begrijpen van dit boek noodzakelijk.

De hogere urinewegen

De nieren zijn twee organen die zich hoog en goed beschermd in de buikholte bevinden (fig. 7). De nieren filteren het bloed en halen er afvalstoffen en overtollig water uit. Alhoewel ze per dag 180 liter bloed filteren, plast een volwassen persoon slechts 0.5 tot 2.5 liter per dag. De gefilterde urine wordt opgevangen in de nierbekkens, vanwaar de urine via de urineleiders wordt afgevoerd naar de blaas, die helemaal onderaan in de buikholte ligt (fig. 7).

De reservoirs van urine en ontlasting: blaas en endeldarm

Zowel de blaas als de endeldarm zijn een reservoir. Beide organen liggen onderaan in de buikholte, in het kleine bekken: de blaas vooraan, de endeldarm achteraan. Bij de vrouw bevindt de baarmoeder zich tussen beide organen in (fig. 8).
Blaas en endeldarm kunnen grote hoeveelheden urine of ontlasting bevatten, zodat we niet voortdurend naar het toilet hoeven of stoelgang lozen. Beide organen worden gekenmerkt door een grote elasticiteit, zodat urine en stoelgang onder lage druk in deze reservoirs kunnen worden verzameld. Anderzijds beschikken beide organen over een spierlaag die actief kan samentrekken wanneer men urine of ontlasting wil lozen.

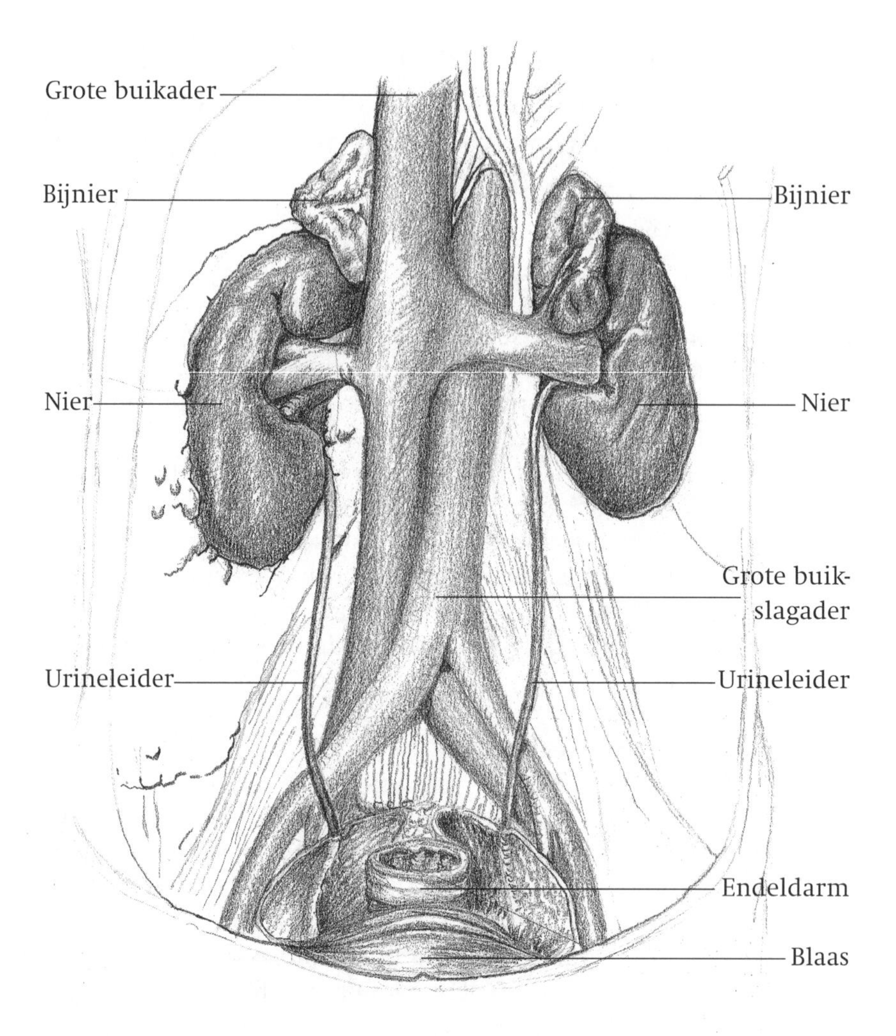

Figuur 7

De blaas is een iets complexer reservoir dan de endeldarm. Ten eerste bevinden er zich klepjes (fig. 8) op de overgang tussen de urineleiders en de blaas. Urine kan met andere woorden vanuit de nieren naar de blaas, maar niet omgekeerd. Indien deze klepjes niet goed functioneren, kan er urine terugvloeien naar de nieren, wat schadelijk is. Ten tweede bestaat er een afvoerkanaal (urinebuis) dat door zijn structuur en lengte de blaas tot een steriel reservoir maakt (fig. 8 en 9). De afwezigheid van ziektekiemen in de blaas beschermt de nieren, die heel gevoelig zijn voor infectie. Bij de man is het voortplantingssysteem versmolten met het urologische systeem: de urinebuis vervoert ook sperma bij het ejaculeren. Dit sperma is samengesteld uit spermacellen van de teelballen en vochten uit de zaadblaasjes en de prostaatklier

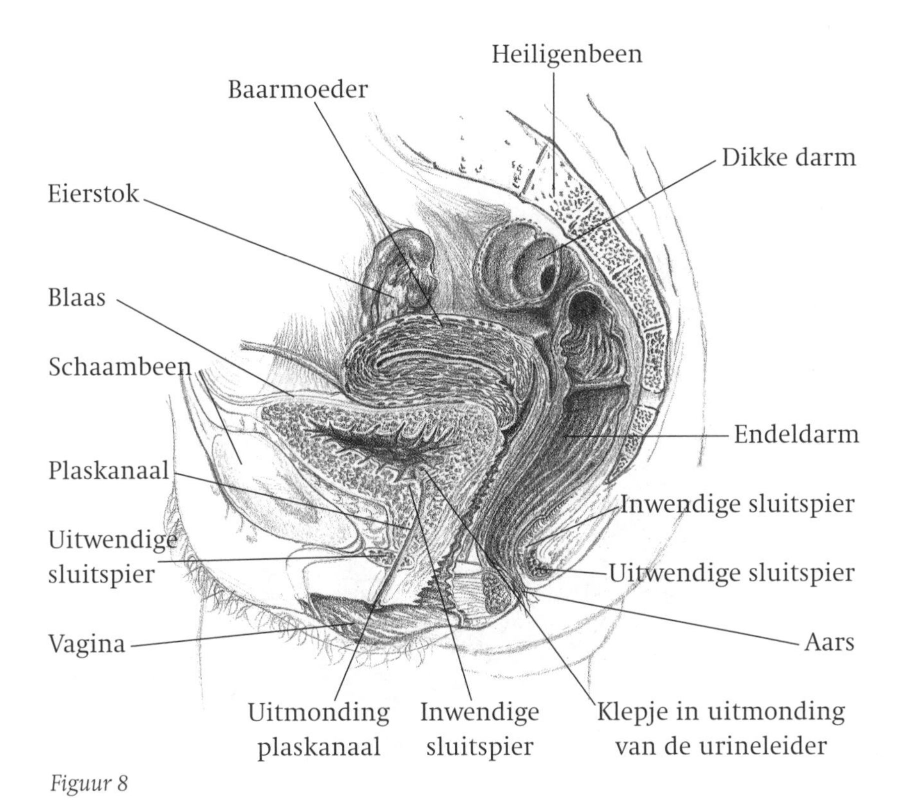

Figuur 8

(fig. 9). Alledrie deze organen monden uit in het diepste gedeelte van de urinebuis, zodat ze ook beschermd zijn tegen infecties.
De urinebuisopening bevindt zich net onder de clitoris en buiten de vagina bij de vrouw (fig. 8), en op de top van de eikel bij de man (fig. 9).
De endeldarm mondt uit ter hoogte van de anus (fig. 8 en 9).

Het sluitspiersysteem van blaas en endeldarm

Om als reservoir te kunnen dienen, hebben blaas en endeldarm, behalve een goede elasticiteit, een sluitspiersysteem nodig. Bij beide reservoirs vinden we een gelijkaardig systeem, bestaande uit een inwendige en een uitwendige kringspier (fig. 10).
De inwendige kringspieren worden gevormd door de reservoirorganen zelf. Het betreft twee kringspieren die zijn gevormd uit circulaire spiervezels, voortkomend uit de spierwand van blaas en endeldarm. Ze bestaan uit gladde spiercellen, wat betekent dat ze zeer traag samentrekken en over een zeer goed uithoudingsvermogen beschikken. Ze zorgen dan ook voor de continentie gedurende het grootste deel van de dag en de nacht. Telkens wanneer het reservoirorgaan samentrekt, gaan de kringspieren open, maar ze staan niet onder de

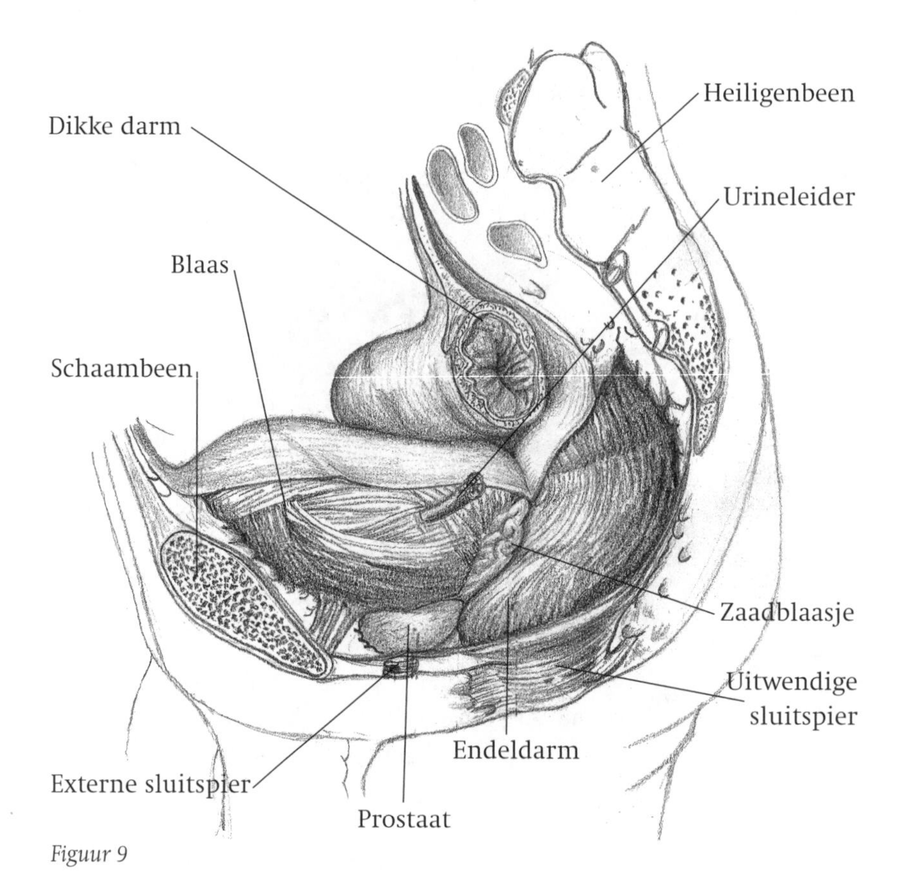

Figuur 9

controle van de wil. We kunnen ze dus niet actief doen samentrekken of ontspannen.
De uitwendige kringspieren van beide reservoirorganen zijn uitlopers van de bekkenbodemspier. Ze bestaan uit dwarsgestreepte spiercellen, waardoor ze zeer snel krachtig kunnen samentrekken, maar ze hebben geen uithoudingsvermogen (ze kunnen zich slechts gedurende enkele seconden samentrekken). Deze spieren staan onder controle van de wil en we kunnen ze actief spannen of ontspannen wanneer we dit wensen. Zo zullen we om een dringende plas te onderdrukken, onze uitwendige kringspier hard samentrekken. De uitwendige sluitspieren dienen ook om lekken te voorkomen bij grote inspanningen.

De bekkenbodemspier: het steunapparaat van het kleine bekken

Het kleine bekken bevat de onderste organen van de buikholte, zoals de blaas, de baarmoeder, de prostaat, de zaadblaasjes en de endeldarm. De bekkenbodemspier vormt de grens tussen buikholte en bui-

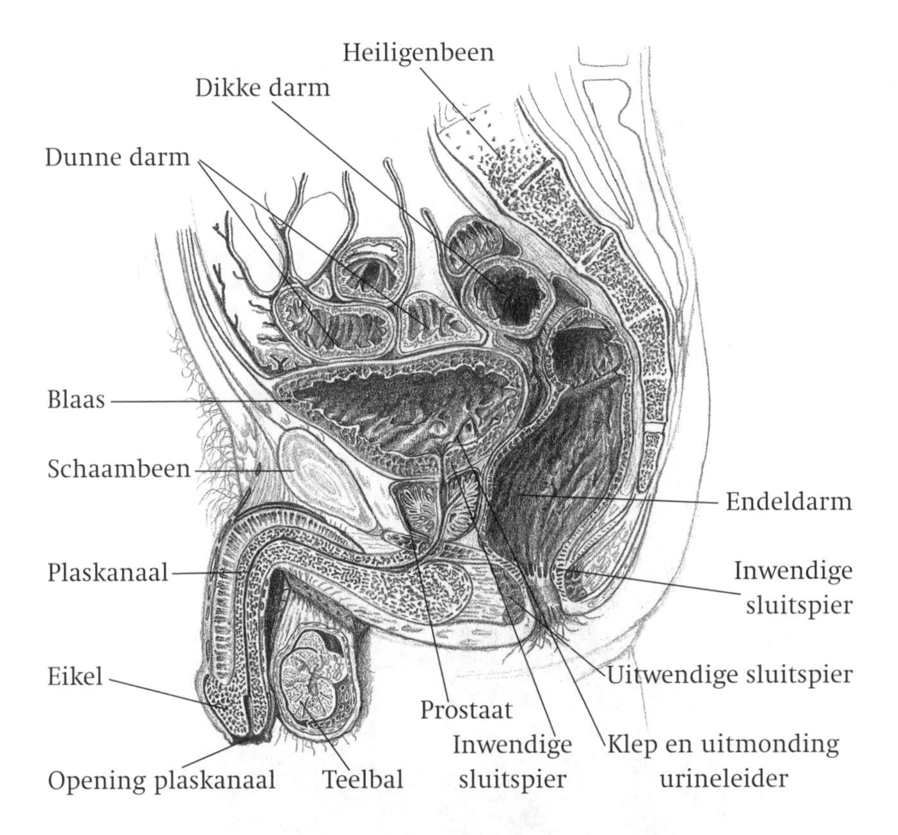

Figuur 10

tenwereld. Het is een spier die als een hangmat tussen het staartbeentje en het schaambeen hangt (fig. 11). Omdat het een spier is, heeft de hangmat een zekere spanning en doet daarom dienst als steunapparaat voor de verschillende organen in het bekken.
In de bekkenbodemspier bevinden zich openingen (fig. 11) die een doorgang laten aan de urinebuis, de vagina en het onderste deel van de endeldarm. Het uitrekken van deze openingen (bij een bevalling, of door op een verkeerde manier urine of ontlasting te lozen) kan verzakking veroorzaken van organen van het bekken.
Een zwakke of beschadigde bekkenbodemspier veroorzaakt uitzakking van de organen van het bekken. Verzakking van blaas, urinebuis of endeldarm veroorzaakt urine- en stoelgangproblemen (zowel verlies als het moeilijk kunnen ledigen van de reservoirs). De bekkenbodemspier staat spiervezels af aan de uitwendige kringspieren van blaas en endeldarm. Een te gespannen bekkenbodemspier zal met andere woorden ook te gespannen kringspieren veroorzaken. Te gespannen kringspieren bemoeilijken het leegmaken van de blaas en endeldarm, en veroorzaken aldus een verkeerde of onvolledige urinelozing en constipatie.

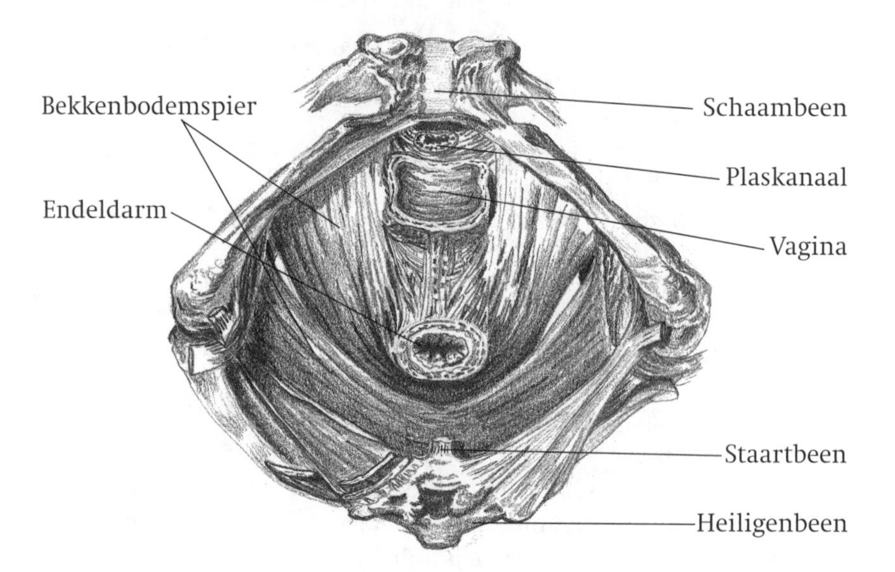

Figuur 11

Het zenuwstelsel bij de filter-functie van de nieren en de reservoirfunctie van blaas en endeldarm

De filterfunctie wordt via een omweg (het hormonale stelsel) door het zenuwstelsel beïnvloed. De hypofyse (fig. 12) is een klein aanhangseltje onderaan en vooraan in de hersenen dat tal van hormonen produceert. Het anti-diuretisch hormoon is er één van, en dat regelt de hoeveelheid water die door de nieren wordt uitgescheiden.
De reservoirfunctie van de blaas en de endeldarm wordt geregeld door het zenuwstelsel. Het betreft een zeer ingewikkeld regelmechanisme waarbij tegengestelde bewegingen worden gemaakt door verschillende spieren. Het reservoir en de kringspieren oefenen continu een

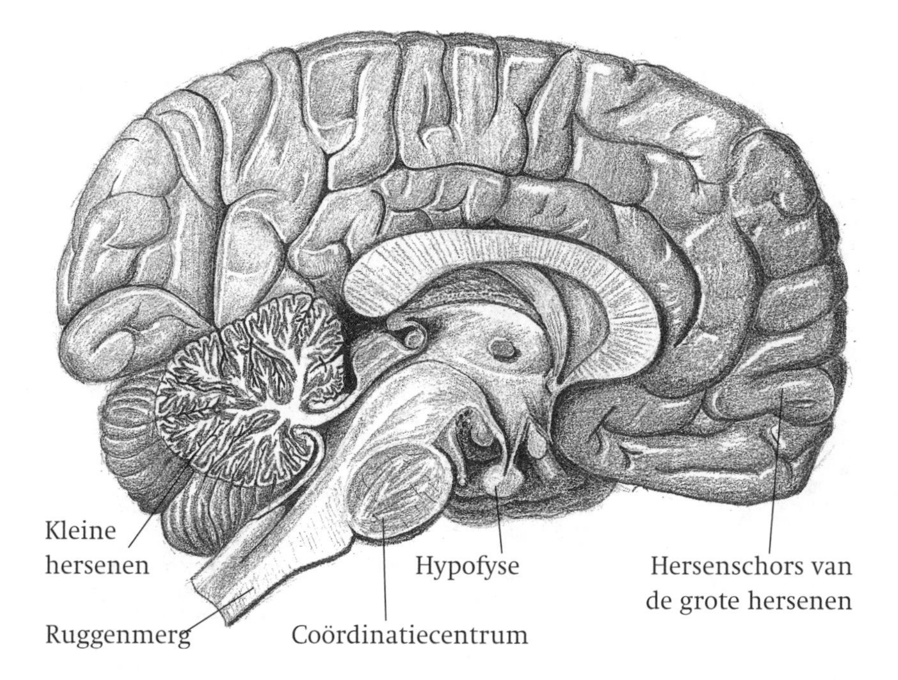

Figuur 12

tegengestelde functie uit (het reservoir ontspant zich en de kringspier spant zich tijdens de vulling van het reservoir, en vice versa tijdens de lediging van het reservoir). We onderscheiden drie centra bij de reservoir- en de lozingsfunctie.

Onderaan het ruggenmerg (fig. 13) bevindt zich ten eerste een reflexcentrum dat via een reflex (denk hierbij bijvoorbeeld aan de kniepeesreflex) doet plassen of sluitspieren doet samentrekken. Een pasgeborene plast met behulp van dit centrum. Hij plast naar aanleiding van een reflex die werd uitgelokt door de vulling van zijn blaas, en hij kan zijn blaas niet volledig ledigen omdat er geen coördinatie is met de sluitspier.

Hogerop in het ruggenmerg (fig. 13) bevindt zich ten tweede een coördinatiecentrum dat ervoor zorgt dat telkens wanneer het reservoir zich ledigt, de kringspieren zich openen zodat het reservoir vlot en volledig geledigd kan worden.

Ten slotte bevindt er zich in de hersenschors (fig. 12) een wilscentrum dat het ons in staat stelt urine of ontlasting te lozen, of dit niet te doen als dit volgens onze normen niet past. Het wilscentrum onderdrukt de neiging of geeft toestemming aan het reflexcentrum om een reservoir al dan niet te ledigen.

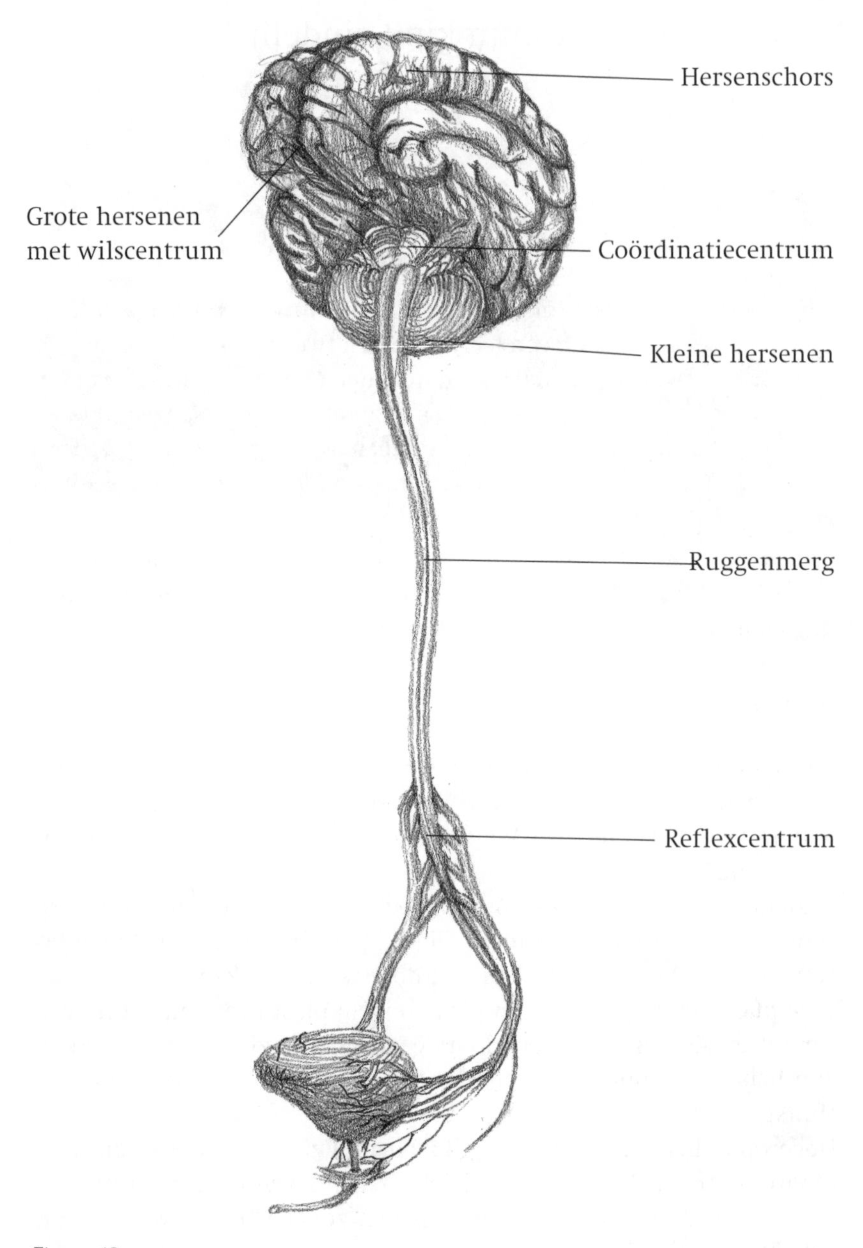
Hersenschors
Grote hersenen
met wilscentrum
Coördinatiecentrum
Kleine hersenen
Ruggenmerg
Reflexcentrum

Figuur 13

3 Hoe wordt mijn kind zindelijk?

Dr. Johan Vande Walle, kindernefroloog

Inleiding

Ongeveer 85 % van de 'normale' kinderen wordt spontaan zindelijk 's nachts. Dit gebeurt op een leeftijd tussen twee en vijf jaar. Bij de overige 15 % van deze normale kinderen neemt het continent worden meer tijd in beslag; jaarlijks wordt nog zo'n 1 à 2 % van deze kinderen zindelijk. Dit betekent dat sommige teenagers, en zelfs volwassenen (ongeveer 1 %), nog problemen van incontinentie en/of enuresis hebben. Hoewel dit percentage voor sommigen laag lijkt, betekent het wel dat bij een kind van 6 jaar dat nog bedplast, de kans om als volwassene nog continentie-problemen te hebben boven de 10 % ligt.
Kinderen die op de leeftijd van 5 jaar nog niet zindelijk zijn, zijn dus niet abnormaal of ziek, maar behoren tot degenen die een trage volgroeing meemaken van een normaal proces. Vroeger, toen dit voor iedereen verborgen kon blijven, maakte niemand zich daar erg druk om en werden de meeste kinderen spontaan zindelijk tijdens de volgende jaren. In onze huidige maatschappij is het echter (jammer genoeg) niet meer sociaal en psychologisch aanvaardbaar om op de leeftijd van 5 jaar nog niet zindelijk te zijn. Immers, de jaarlijkse familievakantie, het gaan logeren bij vriendjes en de bosklassen vallen dan letterlijk en figuurlijk in het water. En het kind wordt vaak maandenlang met dit feit geconfronteerd, wat een enorme stress met zich meebrengt. Het kind dat nog een natte broek heeft, ervaart dit vaak als een falen, als een onkunde. Het voelt zich hulpeloos en minderwaardig, en gaat hiertegen reageren op verschillende manieren. Het ene kind negeert dit probleem en doet alsof het niet bestaat: niemand behalve de ouders mag ervan weten, en niemand mag erover praten. Een ander kind ervaart het als zeer stresserend en weer een ander kind gaat zich beperken in zijn sociale activiteiten en vermijdt bijvoorbeeld zeeklassen of scoutskampen. Deze kinderen voelen zich emotioneel beter na een adequate aanpak van hun zindelijkheidsprobleem.
Maar ook de ouders hebben het moeilijk en stellen zich de vraag of ze bij de opvoeding misschien iets verkeerd gedaan hebben. Waarom doet hun kind zijn best niet? Soms gaan dergelijke schuldgevoelens het kind en de ouders in alle opzichten beheersen. Het probleem houdt dus niet op bij een nat bed of een natte broek. Gedurende de laatste jaren zien we een tendens ontstaan waarbij het nog spontaan conti-

nent worden na de leeftijd van 5 jaar afneemt, waarschijnlijk door een combinatie van factoren: verkeerd plas- en drinkgedrag, secundaire organische en psychologische verdedigingsmechanismen.
Objectieve gegevens over het al dan niet zindelijk worden overdag, zijn nog veel moeilijker te verkrijgen. Indien we uitgaan van historische gegevens, mogen we aannemen dat 25 % van de kinderen niet zindelijk kan zijn overdag op de leeftijd van 2,5 jaar, omdat de blaas en de controle over de blaas niet voldoende ontwikkeld zijn. Verdere ontwikkeling van de blaas en de blaascontrole zou dit percentage doen dalen tot minder dan 10 % rond de leeftijd van 3,5 jaar. We kunnen of mogen dan ook niet over broekplassen spreken of over 'zindelijk moeten zijn' voor de leeftijd van 3,5 jaar.
Maar hier wordt de medische en wetenschappelijke waarheid gewoon onderdrukt door de maatschappelijke normen: een kind moet op de leeftijd van 2,5 jaar zindelijk zijn omdat het naar school moet gaan, enerzijds omdat iedereen nu eenmaal vanaf 2,5 jaar schoolgaat, anderzijds omdat er gewoon geen opvang meer is na de leeftijd van 2,5 jaar, of omdat deze voor de ouders te veel kost. Het kind wordt dus geleerd zindelijk te zijn voordat het er rijp voor is.
Doordat het kind zijn best doet, wordt het grotendeels zindelijk, wat betekent dat het de urine niet meer langs zijn benen laat lopen, zodat de situatie voor iedereen aanvaardbaar is. De kleine druppeltjes die het verliest (= incontinentie), vormen op de leeftijd van 2,5 jaar voor ouders en leraar geen groot probleem meer, en worden vaak over het hoofd gezien. Wanneer het kind ouder wordt, wordt dit urineverlies toch echt vervelend bij de gymnastiekles, of omwille van de geur, en het kind krijgt dezelfde psychologische trauma's en reacties als die bij het bedplassen.

Definitie

Een kind is zindelijk wanneer het zijn urine kan ophouden en wacht met de lozing tot er hiervoor een gepast moment is aangebroken en het op een passende plaats is aangekomen.
Zindelijkheidsproblemen ontstaan wanneer een kind hierin niet slaagt op de leeftijd waarop de omgeving eist dat dit moet gebeuren. Hieruit blijkt heel duidelijk dat het hier niet om een biologisch-wetenschappelijke definitie gaat, maar eerder om een van de maatschappij afhankelijke stellingname, waarbij de criteria afhangen van wat men als goed moment, passende plaats en aanvaardbare leeftijd aanneemt. Deze definitie is dan ook duidelijk gebonden aan de tijd en het cultuurpatroon.
Binnen ons westers cultuurpatroon betekent dit:

• continent zijn overdag op de leeftijd van 3 tot 4 jaar.
De vaak gestelde eis, nog voor de kleuterleeftijd is bereikt (2,5 jaar), is medisch onaanvaardbaar.
• continent zijn 's nachts op de leeftijd van 5 tot 7 jaar.
Hier is 7 jaar een meer medisch verantwoord streefgetal, terwijl de drempel naar 5 jaar verschuift om puur sociale redenen en gezinsredenen.

Hoe wordt het kind normaal zindelijk 's nachts?

Bij een kind van 2 tot 5 jaar oud ziet men een aantal fenomenen van volgroeiing die uiteindelijk resulteren in het continent worden. Hoewel de hierna volgende uitleg misschien wat ingewikkeld kan lijken, is hij noodzakelijk om te begrijpen wat er verkeerd kan gaan.
Het kind wordt normaal vanzelf zindelijk als de hoeveelheid urine die 's nachts wordt geproduceerd, kleiner wordt dan het nachtelijke blaasvolume van het kind. Dit gebeurt op een leeftijd tussen de 2 en 5 jaar, de zogenaamd cognitief gevoelige leeftijd waarop de onbewuste controle over de blaas spontaan verworven wordt. Dit vereist een aantal voorwaarden:
• de 's nachts geproduceerde hoeveelheid urine moet voldoende gereduceerd worden.
• het blaasvolume moet groot genoeg zijn.
• het kind moet een normale lichamelijke uitrijping, vooral van zijn zenuwstelsel, doormaken.
• het kind moet volledig (!) droog zijn overdag.

In het volgroeiingsproces van de blaas kunnen we 4 onderdelen onderscheiden:
1. Het jonge kind of de zuigeling kent geen dag-en-nachtritme in het urineproductiepatroon, wat resulteert in een nachtelijk urinevolume dat groter is dan het gemeten blaasvolume en zelfs groter dan het blaasvolume voor de leeftijd, berekend met de standaardformule van Koff [(leeftijd+2) x 30 ml]. Dit resulteert in een 'overlopen' of nachtelijke urinelozing: elke jonge moeder kan vertellen dat haar kind 's nachts evenveel pampers nodig heeft als overdag. In de loop van de eerste levensjaren ontstaat er een normaal dag-en-nachtritme in deze urineproductie, waarbij het urinevolume 's nachts kleiner wordt dan wat een normale blaas voor de leeftijd kan bevatten.

2. Zuigelingen hebben een onrijpe blaas en blaasbezenuwing, wat resulteert in frequente ongecontroleerde urinelozingen en een klein blaasvolume. Hierdoor heeft het kind een blaasvolume dat kleiner is

dan het theoretisch berekende blaasvolume met de formule van Koff: (leeftijd + 2) x 30 ml. Bij het jonge kind wordt de blaas geleidelijk rustiger en gaat het blaasvolume toenemen tot uiteindelijk een blaasvolume wordt bereikt dat het volledige nachtelijke uitscheidingsvolume kan bevatten.

3. Daarnaast ontwikkelt zich de bezenuwing en vooral de coördinatie tussen de sluitspier en de blaasspier. Blaasspier en sluitspier worden via een 'microcomputer' in het ruggenmerg zo op elkaar afgestemd dat:

- als de sluitspier zich ontspant, de blaasspier samentrekt, waarbij de sluitspier dan ontspannen blijft tot het einde van de urinelozing, zodat deze in één tijspanne kan gebeuren.
- zolang de sluitspier gesloten blijft, de blaasspier ontspant.

Dit op elkaar afgestemd zijn noemen we synergie (= samenwerking). Bij een urinelozing ontspant de sluitspier zich eerst, en pas dan kan de blaasspier samentrekken. Deze samentrekking gaat, eenmaal begonnen, ononderbroken door tot de blaas volledig geledigd is, terwijl de sluitspier ontspannen blijft. Wanneer de blaas leeg is, zal de sluitspier zich weer sluiten en wordt elke verdere samentrekking van de blaasspier weer verhinderd. Dit is de normale volgorde van het plasgebeuren, en de controle hierover ontstaat pas met de volgroeiing van het zenuwstelsel (na de leeftijd van 2 tot 4 jaar).

4. De zuigeling oefent nog onvoldoende bewuste controle vanuit de hersenen uit op het functioneren van zijn blaas. Vanaf een zekere leeftijd – en deze kan variëren van kind tot kind, gaande van 18 maanden tot 3 jaar – volgroeit deze hogere 'cognitieve functie' zodat het kind zijn blaas bewust kan controleren overdag. Op die leeftijd wordt het controleren van de blaas en het beslissen om te plassen of niet te plassen voor het kind een erg interessant spelletje: iedereen kent de ervaring met jonge kinderen die continu naar het toilet willen gaan, maar eenmaal daar aangekomen, toch lekker niet willen gaan. In deze fase leert het kind bewust te plassen of niet te plassen, en dus ook op te houden of niet op te houden.
Dit verwerven van een controle over de lozing van urine veronderstelt het leren van heel wat deelvaardigheden: het op het juiste moment ontspannen en spannen van de sluitspier, het correct gebruiken van de bekkenbodemspieren, het leren voelen van urine in de blaas, het leren de blaas volledig te ledigen bij het plassen... Deze vaardigheden worden zo ingestudeerd dat ze bij het kind uiteindelijk zo in het onderbewustzijn zijn ingegrift dat de beheersing over de blaas ook tijdens de slaap blijft bestaan, en het kind 'droog' blijft zodra de urine-

productie 's nachts kleiner is dan het verworven normale blaasvolume voor de leeftijd. Dit noemen wij het cognitieve leerproces. Uit deze beschrijving blijkt al dat dit cognitieve leerproces vooral directe invloed heeft op het continent zijn en worden overdag, en op het ontwikkelen van een normaal blaas- en plasgevoel en plasgedrag. Het effect op de nachtelijke incontinentie is op de leeftijd van 2 tot 5 jaar veel eerder een indirect effect: een kind dat een nachtelijke urineuitscheiding heeft die kleiner is dan zijn blaasvolume, zal bij het bereiken van een continentie overdag 's nachts spontaan zindelijk worden op voorwaarde dat het een normaal blaas- en plasgevoel en een normale urinelozing heeft. Kleine stoornissen in het cognitieve leerproces kunnen het bereiken van de continentie overdag dan ook vertragen, terwijl een zogenaamd 'perfecte' zindelijkheidstraining versnellend kan werken. De invloed op de uiteindelijke nachtelijke incontinentie is kleiner en vooral indirect.

Het al dan niet verwerven van de uiteindelijke controle is dus een ingewikkeld leerproces dat door verschillende organische, psychologische en pedagogische factoren gestimuleerd of verstoord kan worden. Stoornissen in elk van de 4 beschreven onderdelen kunnen resulteren in een aanhoudend bedplassen of incontinentie.
Bij een groot deel van de kinderen (zo'n 70 tot 75 %) spelen opvoeding, training en psychologie waarschijnlijk wel een vergemakkelijkende rol in het normale nachtelijke zindelijkheidsproces, maar deze hebben nauwelijks invloed op het al dan niet zindelijk worden zelf: men wordt nu eenmaal zindelijk 'omdat men droog wordt' zodra de nachtelijke diurese kleiner is dan het blaasvolume en er overdag een normale blaascontrole is... De genoemde factoren kunnen het proces echter wel versnellen.
Bij een kleiner deel van de kinderen (20 tot 25 %) speelt 'het leerproces' wel degelijk een rol in het tijdig zindelijk worden. Tijdens dit leerproces gaat het kind een aantal factoren aaneenkoppelen, zoals het gevoel van een volle blaas, het potje en diens plaats, woordjes zoals 'pipi' en 'kaka', vaste tijdstippen, en het imiteren van ouders en andere kinderen. Positieve aanmoediging vanuit de omgeving stimuleert het kind om zo verder te gaan. Het ontbreken van positieve stimulatie vanuit de omgeving zal het zindelijkheidsproces zeker afremmen en belemmeren, en dit geldt meer voor het zindelijk worden overdag (= direct effect) dan 's nachts (= indirect effect), en heeft meer effect op het tijdstip van het bereiken van de continentie dan op het uiteindelijk bereiken zelf van deze continentie. Een overdreven, een te vroege of verkeerde positieve aanmoediging veroorzaakt echter veel

kwaad. Dit kunnen wij even illustreren aan de hand van een paar voorbeelden.

* Een kind met een klein, instabiel of 'zenuwachtig' blaasje plast in zijn broek of moet tijdens de les naar het toilet, tenzij het weinig drinkt. Als dit kind weinig drinkt, zegt iedereen dat het flink is, omdat het niet meer naar het toilet hoeft wanneer de volwassenen vinden dat dat niet hoort.

* Een klein kind leerde vroeger op het kakstoeltje plassen en defeceren door zich te ontspannen, wat niet moeilijk was gedurende die 1 tot 2 uur dat het in het stoeltje zat. Iedereen applaudisseerde en het kind leerde zo door te gaan. Nu gaan kinderen zeer vroeg op het potje en zo vlug mogelijk op het grote toilet. Door tijdsdruk, een verkeerde houding, en het leren plassen als de blaas nog niet vol is, riskeert het kind te leren plassen met persen met verhoogde bekkenbodemtonus, wat in stand wordt gehouden door de positieve stimulatie.

Hoe wordt het kind normaal zindelijk overdag?

Kinderen worden eveneens grotendeels spontaan zindelijk overdag op het ogenblik dat de blaas en de blaascontrole voldoende zijn ontwikkeld, op een leeftijd waarop het kind er bewust mee kan omgaan, en op voorwaarde dat het kind geen verkeerde zindelijkheidtraining krijgt. Deze moeilijke uitspraak vraagt opnieuw heel wat uitleg. De volledige verklaring komt in de volgende hoofdstukken uitgebreid aan bod, maar we concentreren ons even op de kernwoorden.

Spontaan

In principe gebeurt het proces dus grotendeels spontaan, wat betekent dat je er als kind en ouder niet veel aan kunt doen als het kind er niet rijp voor is. Ditzelfde geldt trouwens voor de meeste dieren die continent worden overdag: ze doen hun behoefte niet in hun eigen nest, verliezen niet met tussenpozen kleine beetjes urine, en leveren steeds een normale plas (= mictie) af wanneer ze voldoende zijn volgroeid. Veel lezers zullen dieren niet als zindelijk beschouwen omdat ze maatschappelijke normen hanteren, maar deze maatschappelijke normen kunnen bij de mens pas worden aangeleerd nadat het kind 'natuurlijk' zindelijk is geworden.

Ontwikkeling

Het betreft een ontwikkelingsproces, dus gaat het bij de een sneller dan bij de ander. En net zoals bij veel ontwikkelingsprocessen lijkt ook dit vaak sneller bij meisjes te gebeuren dan bij jongens.

Bewust

Dit speelt vooral een rol bij het behalen van de maatschappelijke norm van zindelijkheid. Zolang het kind er zich niet van bewust is, kan het niet meewerken. Inspelen op deze bewuste factor is wat vaak de zindelijkheidstraining of 'droogtraining' wordt genoemd. Dit mag en kan echter pas met succes gebeuren als de blaas voldoende is ontwikkeld. Positieve stimulatie zal vaak winst opleveren, het behalen van de maatschappelijke normen, maar het gaat hier meestal slechts om een verschil van enkele maanden met de 'natuurlijke' normen.

Geen verkeerde zindelijkheidstraining

Deze voorwaarde speelde in het verleden nauwelijks een rol. Een totale verwaarlozing leidde wel vaak tot een vertraging van het bereiken van een natuurlijke continentie, en zeker tot een niet-bereiken van de maatschappelijke norm, maar we spreken dan van extreme situaties. Veel problematischer is echter de huidige geforceerde zindelijkheidstraining, die leidt tot een aanleren van een verkeerd plaspatroon en blaasfunctiestoornissen veroorzaakt. De laatste jaren zijn er op dit punt overtuigende argumenten verzameld: een verkeerde zindelijkheidstraining is er ongetwijfeld de hoofdoorzaak van dat bedplassen nu evenveel bij meisjes als bij jongens voorkomt (vroeger 5 keer meer bij jongens), dat er met toenemende frequentie blijvende incontinentie overdag wordt vastgesteld, en met toenemende frequentie urineweginfecties en constipatie – vooral bij meisjes tussen 2 en 10 jaar – worden waargenomen. Wij hebben de indruk dat een actieve zindelijkheidstraining voor overdag meer kwaad kan doen dan goed.

Dit zindelijk worden overdag kunnen we niet loskoppelen van het zindelijk worden voor stoelgang, omdat het ontwikkelingsproces en heel wat spieren en controlemechanismen die hierin een rol spelen, gemeenschappelijk zijn. Dit alles komt uitgebreid in hoofdstuk 6 aan bod. Zindelijk zijn voor stoelgang wordt echter meestal iets vroeger bereikt dan voor urine.

De sprookjes

Voordat we ingaan op wat kan mislopen, moeten we eerst afrekenen met een aantal hardnekkige fabeltjes rond bed- en broekplassen. Over enuresis worden immers tal van sprookjes verteld die grotendeels onwaarheden bevatten. De voornaamste sommen we hier even op:

Mijn kind houdt te lang op

Mijn kind wacht tot het laatste moment en... dan heeft hij/zij het in zijn/haar broek gedaan. Deze vaak gehoorde opmerking houdt meestal geen steek, want kinderen die echt te lang wachten, gaan slechts tweemaal per dag naar het toilet, en bij die kinderen zien we nooit dat ze 'dringend' moeten. De kinderen waarbij wij schijnbaar waarnemen dat ze te lang wachten en daardoor een nat broekje hebben, vertonen eigenlijk een 'aandrangsyndroom' waarbij ze een samentrekking van een blaasspier niet kunnen tegenhouden en daardoor urineverlies hebben. Bij normale kinderen wordt deze samentrekking continu automatisch onderdrukt en kan de blaas zich pas samentrekken als het kind de sluitspier openzet. De kinderen waar we het hier over hebben, mag nooit verweten worden dat ze te lang wachten, ze moeten daarentegen wel door een arts worden onderzocht.

Het kind drinkt te veel

Kinderen met problemen van bedplassen drinken meestal veel minder (ongeveer 70 %) dan kinderen die niet bedplassen.

Het kind mag niet meer drinken na 5-6 uur 's namiddags (fig. 14)

Aangezien deze kinderen al minder drinken, is het zeker niet aangeraden om de 'vochtopname' na 5 uur te gaan beperken. Wel adviseren we om de 'vochtopname' 's morgens en overdag duidelijk te laten toenemen. Als je 's morgens nat bent, ga je automatisch weinig drinken. Ook als je natte broekjes hebt overdag of tijdens de lesuren moet gaan plassen, zul je minder gaan drinken, als een soort verdediging. Als het kind 's middags om 4-5 uur van school terugkomt, drinkt het normaal. Omdat het dan relatief is uitgedroogd, heeft het hoge antiplas-hormoonspiegels (= anti-diuretisch hormoon) die ervoor zorgen dat het dit vocht pas later op de avond gaat uitplassen. De behandeling hiervoor bestaat eruit het kind overdag veel meer te laten drinken, zodat dit hormoon onderdrukt blijft en het gedronken vocht dus vlugger wordt uitgeplast. Voor een kind van 25 tot 30 kg komt dit neer op het nuttigen van 2 glazen 's morgens, 1 om 10 uur, 2 's middags, 2 na school, en normaal drinken bij het avondeten. Cola, thee, ijsthee en koffie worden het best vermeden omdat deze de blaas zenuwachtiger maken, terwijl er hooguit 2 tot 3 van deze glazen drank een melkproduct mogen bevatten.

Het kind is zenuwachtig

80 % van de ouders vindt hun kinderen te zenuwachtig, maar meestal ligt de fout bij de ouders zelf: als beide ouders gaan werken, is het

Figuur 14

meestal al na 6 uur 's avonds vooraleer iedereen thuis is. In twee uur tijd moet het kind nog in bad, zijn huiswerk maken, spelen met het broertje of zusje en met zijn lievelingsspeelgoed, eten, huiswerk maken... En als het dan om wat aandacht van papa en mama vraagt, of niet onmiddellijk doet wat er gevraagd wordt, vinden de ouders het lastig. Een kind is pas zenuwachtig als het in 'normale' rustige omstandigheden altijd zenuwachtig is. De meerderheid van deze kinderen beantwoordt niet aan deze criteria.
Van hyperactieve kinderen is bekend dat ze frequenter bedplassen en later droog worden, maar steeds is dit te wijten aan een duidelijke blaasfunctiestoornis en niet aan hun zenuwachtigheid.

Het kind slaapt te diep (fig. 15)

Dit is de frequentst aangegeven oorzaak van bedplassen: het kind slaapt zo diep dat het niet voelt wanneer het moet plassen, of het is te

Figuur 15

lui om op te staan. Kinderen leren echter op te staan door zindelijk te zijn, en worden niet zindelijk door te leren opstaan. Normaal gezien wordt het kind zindelijk door te leren de nacht door te slapen. Als het dan gedurende drie maanden volledig zindelijk is, en het produceert tijdens een bepaalde nacht te veel urine, dan zal het spontaan opstaan. Er zijn veel diepe slapers die nooit hoeven opstaan en toch zindelijk zijn.
Maar waarom staan kinderen niet op als ze nat zijn? Een klein kind dat in zijn pamper plast, wordt daar niet wakker van, want het gaat om hetzelfde gevoel als tijdens alle vorige nachten, en het reageert er dus niet op. Voor het kind dat bedplast, geldt dezelfde regel: pas als het zindelijk is, zal het leren reageren als iemand die zindelijk is. Kinderen 's nachts wekken om te gaan plassen is dan ook niet logisch.

Het kind hoort de plaswekker niet

Dit wordt vaak aangehaald als bewijs dat het kind te diep slaapt, maar bewijst niets zolang de plaswekker niet volgens alle regels van de kunst is toegepast, namelijk bij een kind dat zindelijk kan zijn, en dus een blaasvolume heeft dat groter is dan de nachtelijke urineproductie, dat volledig zindelijk is overdag, en waaraan het systeem van de plaswekker is aangeleerd met een 'hardwerkende nacht' (zie verder). Een plaswekker dient daarenboven niet om het kind te leren opstaan, maar om het te leren onderbewust zijn blaas 's nachts te controleren. De plaswekker is ongetwijfeld de frequentst gebruikte maar ook misbruikte methode. Men mag hem alleen bij de juiste indicaties gebruiken.

Je moet het kind leren opstaan of het uit bed halen

Ook dit heeft geen zin, en raden we af, zolang de normale manier van zindelijk worden niet onmogelijk is.

Het kind produceert 's nachts te veel urine (fig. 16)

Meestal is dit gegeven niet objectief vast te stellen, omdat een plas nu eenmaal de grootte van het blaasvolume heeft, en dus van een glas water, wat bij een bed met een matrasbeschermer onder het laken in een enorme vlek resulteert. Bij ongeveer 5 % van de kinderen is de urineproductie echter abnormaal hoog. Deze kinderen moeten dan ook altijd eerst medisch onderzocht worden, omdat klassieke behandelingen bij hen niet helpen.

Figuur 16

Het kind trekt het zich niet aan, het is onachtzaam

Dit is nooit de oorzaak, maar wel een soort secundair verdedigingsmechanisme van kinderen tegen hun stoornis, die zij als een 'falen' ervaren. De enige manier om psychologisch met deze ziekte te overleven, is het zich niet aantrekken, is het negeren.

Karakterstoornissen

Karakterstoornissen vormen zelden de oorzaak van bedplassen, maar omgekeerd heeft bedplassen ingrijpende gevolgen voor het karakter. Dat is logisch: kinderen die om aandacht vragen, of die hun ouders willen pesten, kunnen overdag aan tafel bij de oppas in hun broek plassen totdat de urine langs hun benen loopt.

Het is opnieuw begonnen na een urineweginfectie

Vaak is het inderdaad zo dat er opnieuw urineverlies wordt waargenomen na een urineweginfectie, en dat heel wat kinderen dan ook opnieuw gaan bedplassen.

Het is opnieuw begonnen na:

• de geboorte van een zusje of broertje. Het kind is het oudste van het gezin, of het jongste, of het middelste.
• de scheiding van de ouders.

Het komt door de volgende omstandigheden:

• de ouders willen gaan scheiden.
• het kind komt uit een saai gezin waar er thuis nooit iets gebeurt.
• vader werkt te veel, en is nooit thuis; of vader werkt niet, zit thuis, werkt iedereen op de zenuwen en drinkt.
• moeder werkt te veel en heeft geen tijd voor de kinderen; of moeder werkt niet, is gefrustreerd en overbemoedert de kinderen.
• een van de ouders is overleden, de kat is overreden, de hond weggelopen; of een tante is overleden, een vriendje is verhuisd, het kind werd opgenomen in een ziekenhuis.
• de spanning van de examens, van de verhuizing, enzovoort.

Al deze factoren kunnen een rol spelen, maar ze zijn meestal niets anders dan de druppel die de emmer doet overlopen. Vaak wordt veel te veel belang gehecht aan deze zogenaamde psychologische factor (en dus ligt de schuld bij het kind) en vergeet men dan ook naar achterliggende lichamelijke oorzaken te zoeken.
Psychologische factoren mogen alleen als relevant worden beschouwd als het kind vooraf gedurende 3 maanden volledig zindelijk was overdag en 's nachts, zonder één ongelukje, zonder één druppel urineverlies, de zomermaanden niet inbegrepen, en als de urineproductie 's nachts kleiner is dan het gemeten blaasvolume. Dit konden we indirect aantonen doordat in een kinderkankerpopulatie van het UZ Gent (afdeling van prof. Benoit) enuresis en incontinentie minder frequent voorkwamen dan in de normale populatie, en wat is psychologisch, lichamelijk, familiaal en in gezinsverband meer ingrijpend dan deze ziekte en haar behandeling.

Het is opnieuw begonnen nadat het kind weer naar school is gegaan

In de praktijk is het inderdaad zo dat kinderen vaak meer zindelijk zijn tijdens de zomermaanden, maar dat heeft een natuurlijke verklaring. 's Zomers is het warmer, zweet men meer en is de urineproductie 's nachts geringer, terwijl onvolgroeide blazen vaak ook rustiger zijn en dus een groter volume kunnen bevatten dan tijdens de winter. Bij het dalen van de nachtelijke temperaturen (met de eerste frissere nachten) blijkt het opnieuw te gaan bedplassen. Er is duidelijk meer verband met het weer dan met het begin van het schooljaar zelf.

Je moet de pamper weglaten

Als het kind er niet rijp voor is, heeft dit geen zin.
Overdag laat men de pamper pas weg als het kind bij meer dan de helft van de controles een droge pamper heeft, waarbij de normale controles bijna met de schooltijden samenvallen: 's morgens, tijdens de speeltijd (het speelkwartier), 's middags, tijdens de speeltijd, bij het vieruurtje en 's avonds. 's Nachts laat men pas de pamper weg als het kind de helft van de nachten droog is. Een pamper vroeger weglaten heeft nog nooit effect gehad en leidt alleen tot psychologische trauma's voor het kind, en veel wassen voor de moeder. Voor overdag maakt de laatste jaren zindelijkheidstraining veel ophef. Er is echter geen enkele medische reden om deze te gebruiken, maar er zijn er heel wat om ze af te raden. Volgens ons principe is een kind immers of droog of nat, en dus kan het droog zijn, of kan het dat nog niet. Tussen de twee mogelijkheden in is er geen tussenweg. Een zindelijkheidstrainingspamper brengt het risico mee alleen een geforceerde en dus verkeerde zindelijkheidstraining te veroorzaken.

De oorzaak is dat de vagina altijd ontstoken is, door gebrek aan hygiëne, er is altijd een vieze geur

Talloze moeders gaan deze lichaamsgeur van hun dochters dagelijks aanpakken met water en zeep, van eenmaal per dag tot na elk toiletgebruik. Zeep is totaal niet geschikt bij de vagina van een meisje. Meisjes hebben voor de puberteit een enkelvoudig laagje slijmvlies op hun vagina, net zoals in de mond, met het mondslijmvlies. Als u wilt weten waartoe het gebruik van zeep daar leidt, moet u maar eens een minuut lang zeep in uw mond nemen. U voelt nadien dat het slijmvlies droog en aangetast is, en het duurt 24 uur voordat dit zich heeft hersteld. Zeep of badschuim mag dus nooit in contact worden gebracht met het vaginale slijmvlies, en er mag hooguit eenmaal per dag met water worden gewassen. Ook geparfumeerd, vochtig toiletpapier waarvoor zoveel reclame wordt gemaakt, is totaal uit den boze.
En wat betekent dan de vaginale irritatie en afscheiding? Bij een meisje voor de puberteit zijn deze meestal het gevolg van enkele druppels urineverlies, en dus een teken van een blaasfunctiestoornis. Medisch advies is hier dus wenselijk.

De meeste van deze opmerkingen worden heel frequent gemaakt, maar bijna steeds blijken ze eerder op een soort bijgeloof dan op harde feiten te berusten en hebben ze geen enkele statistische relevantie. Wij moeten ons dan ook hoeden om dergelijke uitspraken te doen voordat alle andere echte oorzaken zijn uitgesloten.

Waarom wordt mijn kind niet zindelijk? Fysiopathologie

Er zijn meerdere, vaak complexe redenen waarom een kind niet zindelijk wordt. Wij onderscheiden hier 4 types.

Type I. Stoornissen in het dag-en-nachtritme van de urineproductie

Een groep kinderen blijkt een stoornis te blijven vertonen in het normale dag-en-nachtritme van de urineuitscheiding, zodat ze 's nachts veel meer urine blijven produceren dan een normale blaas kan bevatten, en de blaas dan wel moet overlopen. Praktisch kunnen we dit vergelijken met een grote fles water die we in een normaal glas proberen te gieten: het glas loopt over en zal bij elke verdere poging opnieuw overlopen.

Type II. Blaas- en blaasfunctiestoornissen

Sommige kinderen vertonen stoornissen in de werking van de blaas. De oorzaken kunnen verschillend zijn:
- een stoornis in de vorm van de blaas.
- een stoornis tijdens de vullingsfase en/of de ledigingsfase.
- stoornissen van de sluitspier en/of van de blaasspier zelf.
- een stoornis in de werking van de blaas zelf en/of het gebruik van de blaas.

Type III. Primair psychologische of psychiatrische oorzaken

Geïsoleerde primair psychologische oorzaken voor het niet zindelijk worden, zijn weinig frequent en komen meestal voor in samenhang met zindelijkheidsproblemen voor urine en stoelgang overdag. Karakterstoornissen en gedragsproblemen staan vaak op de voorgrond, zodat men dit dikwijls in de psychiatrische pathologie kan waarnemen.

Type IV. Stoornis in het cognitieve leerproces

Het gaat hier om de kinderen, ouder dan 5 jaar, waarbij we geen organische stoornis meer kunnen waarnemen, en waarbij een primair psychologische oorzaak is uitgesloten. Mogelijk is de ontwikkeling van de diverse factoren bij hen vertraagd gebeurd (zie eerder), of is het leerproces verstoord en bevinden zij zich nu buiten de normale gevoelige leeftijd om vlot spontaan zindelijk te worden. Kinderen die op de normale leeftijd van 2 tot 5 jaar niet droog worden, blijken het nadien veel moeilijker te hebben om zindelijk te worden. Deze kinderen zijn overdag zindelijk en alleen 's nachts nat.

Secundaire verdedigingsmechanismen

Hoewel de voorgaande indeling een vrij duidelijk theoretisch onderscheid tussen 4 groepen maakt, is de praktijk ingewikkelder omdat secundaire verdedigingssystemen bij kind en ouder het beeld gaan vertroebelen. We sommen hier slechts een paar voorbeelden op.
Minder drinken resulteert in een afname van de urinelozing, alsook in een verminderen van de blaasoefening en van de training van het blaasvolume.
Ontkenning van het nat zijn resulteert vaak in een ontkenning van elk gevoel dat met blaas en urinelozing te maken heeft, en dus in een verminderd gevoel voor normale blaasvulling en normale urinelozing.
Urineverlies resulteert in verhoogde ophoudingstonus en werkt dyssynerge sfincter en verhoogde bekkenbodemtonus in de hand evenals een verstoorde samenwerking tussen de blaas- en de sluitspier.

Verstoord zelfbeeld

Veel ouders en kinderen hebben een uitgesproken gevoel van schuld en van falen. Het kind vraagt zich af waarom het bij hem mislukt terwijl het zo zijn best doet? Is het dan toch een mislukkeling? Om hiermee te kunnen leven, zijn slechts twee reacties mogelijk: ofwel doen de kinderen alsof ze niet geïnteresseerd zijn in het probleem, ofwel gaat het om zeer voorbeeldige kinderen die alles doen om het goed te maken dat ze nog nat zijn.
Bij de ouders rijzen vragen als: waarom doet mijn kind zijn best niet, wat heb ik verkeerd gedaan in de opvoeding, waarom reageert het kind zich op mij af?
Uit het overzicht van oorzaken blijkt dat het probleem van enuresis/incontinentie zo ingewikkeld is dat in de meerderheid van de gevallen het schuldgevoel niet terecht is.

Kan ik mijn kind helpen bij het zindelijk worden?

Wanneer moet het kind op het potje gaan?
Een kind moét nooit op een potje gaan, het mág op een potje leren gaan op het moment dat het daarvoor belangstelling toont en er rijp voor is.

De natuurlijke houding en het natuurlijke gedrag zijn plassen in hurkzit waar men het nodig acht, en wanneer er tijd voor is. Dit is eeuwenlang de methode geweest, aangepast aan ons lichaam en aan onze noden.
De wc raakte pas algemeen in gebruik tijdens de laatste eeuw, en is zeker niet aangepast aan de noden van het kind. De vorige generatie ouders had met de uitvinding van het 'kakstoeltje', dat aangepast was aan de bips van het kind, echter een behoorlijk compromis gevonden: tijdens het eten had het kind ongeveer 1 uur de tijd om iets in het potje te deponeren. Dat was juist op het moment dat de darmbewegingen en dus ook de plasdrang en stoelaandrang het grootst zijn, namelijk tijdens de maaltijd. Deze methode leverde een behoorlijk resultaat op.
Het 'potje', en nog erger het grote toilet (waartoe het kind zo vlug mogelijk wordt gestimuleerd) zijn echter veel slechter aangepast aan de noden van het kind. Waarom?

- Er is veel minder tijd: de ouders staan te wachten.
- Er is een geen samenhang met het eetgebeuren.
- De opening van de wc-bril is gigantisch groot in vergelijking met de bips van het kind.
- Het toilet is veel te hoog.

Als kinderen het niet willen leren om op een potje te gaan, leidt dit ongetwijfeld tot frustratie bij ouders en kind, en tot het uiteindelijk psychisch of zelfs fysiek forceren van het kind, wat ongetwijfeld een averechts effect heeft.
De beste manier om het kleine kind voor het plasgebeuren te interesseren, is naast het grote toilet het kleine toiletje te plaatsen, en telkens als iemand naar het toilet gaat, het kind te laten meegaan. Is het kind niet geïnteresseerd om ook naar het toiletje te gaan, dan stelt men de poging het best een maand uit. De meest vlotte wijze bestaat erin het kind te laten imiteren wat de ouders en de andere kinderen in het gezin doen.

Hoe moet mijn kind plassen?

Alhoewel deze vraag misschien wat ongewoon overkomt, is ze zeer belangrijk. Kinderen moeten leren rustig en ontspannen, 'op het gemak' naar het toilet te gaan. Indien het niet lukt door zich te ontspannen, mag het kind in ieder geval niet worden gestimuleerd om te persen of te 'duwen'. Een normale lozing vindt immers plaats wanneer sluitspier en bekkenspieren zich ontspannen, waarop de blaasspier zich gaat samentrekken en de blaas zich ledigt. Bij perslozing wordt de urine met een samentrekking van de buikspier naar buiten geduwd. De sluitspier opent zich niet of onvolledig, en de blaasspier

helpt ook niet mee. Jonge kinderen kunnen geen onderscheid maken tussen het samentrekken van buikspieren en bekkenbodemspieren, zodat deze laatste zich gaan samentrekken in plaats van te ontspannen. Dit leidt tot een totaal verkeerd plasgedrag.
Kinderen leren het beste plassen met een bepaalde regelmaat, op vaste vertrouwde plaatsen. Ook een goede timing is belangrijk, want indien men een kind tijdens zijn favoriete televisie-uitzending naar het toilet stuurt, resulteert dit in een zeer 'snelle' perslozing waarbij nog urine achterblijft.

Welke houding moet ik aannemen?

Wat de houding betreft zijn volgende zaken belangrijk:
- Het regelmatig vragen of het kind al dan niet moet plassen, zodat het kind bewuster zijn blaas gaat 'voelen' en erop gaat reageren als deze vol is.
- Het kind een verband laten leggen tussen een volle blaas en andere stimuli, zoals de aanwezigheid van het potje, woorden zoals 'pipi', 'potje', 'kaka', de plaats van het toilet.
- Het bepalen van vaste tijdstippen om op het potje te gaan, niet op voor het kind heilige momenten, zoals tijdens een favoriet televisieprogramma.
- Het imiteren of de 'modeling' of: het kind zijn broers en zussen, mama en papa, of andere kinderen uit de omgeving laten observeren. Hiertoe kan men het beste het potje van het kind naast het grote toilet zetten.
- Adequate stimulering vanuit de omgeving.

Laat bravogeroep en handgeklap op een spontane plas in het potje volgen. Het kind vindt dit leuk en herhaalt het gedrag. Het kind leert. Ook het niet meer hoeven dragen van de pamper is leuk en belonend voor het kind. Wanneer het kind er niet in slaagt in zijn potje te plassen, is het van essentieel belang het eerder gerust te stellen dan boos te worden. Ook op het niet plassen maar ophouden van de urine op een ongeschikte plaats of tijdstip, volgen vaak positieve stimuli vanuit de omgeving. Ook dit gedrag gaat het kind hierdoor gemakkelijker herhalen.
- Er moet worden vermeden dat het kind wordt gestimuleerd om de blaas volledig te ledigen door te 'duwen' of te persen met de buikspieren.

Welk toilet gebruiken we het beste?

De keuze van het kindertoiletje is belangrijk. Het moet in ieder geval door het kind leuk worden gevonden. Er is keuze genoeg op de markt. Belangrijk zijn de vorm en de hoogte van het toilet: het kind moet rustig kunnen zitten, zonder de vrees om erin te vallen, en zonder te moeten balanceren. De voetjes moeten op de grond kunnen rusten, en het lichaam moet een lichte hurkzitstand kunnen aannemen omdat zo de bekkenspieren zich het beste kunnen ontspannen. Het is dan ook totaal uit den boze om een kind vroegtijdig op het grote toilet te zetten, en zelfs de speciaal voor kinderen ontworpen inlegbrilletjes bieden geen echt goede oplossing voor het jonge kind zolang het niet met de voeten aan de grond kan.

Hoe zit het met de hygiëne?

Iedereen is bang dat het toiletgedrag van kinderen met onvoldoende hygiëne gepaard gaat, en vaak denkt men dat heel wat problemen daarvan het gevolg zijn, maar meestal is het net het omgekeerde.
Jonge kinderen worden opgevoed met het feit dat 'kaka', 'pipi' en 'poep' vieze woorden zijn, wat dus betekent dat die zaken 'vies' zijn. In extreme gevallen kan dit bij het kind leiden tot het totaal negeren van de genitale streek en het onderdrukken of niet reageren op elk gevoel uit die regio, dus ook op het gevoel van een volle blaas en op plasdrang.
Elk kind leert eerst thuis naar het toilet (altijd op hetzelfde toilet) te gaan, in alle stilte en rust, met een gesloten deur, met het deodorantluchtje, het mooie behang, het roze matje voor de WC-pot, het roze toiletpapier, en het ritueel van het altijd nadien de handjes wassen met geparfumeerde zeep en het afdrogen met de roze handdoek. Hoewel hier op zich niets verkeerd aan is, vormt de confrontatie op school met de halfopen 'vuile' toiletten en het gerecycleerde papier een voor het kind totaal onoverkoombaar probleem dat zal leiden tot een verkeerd plasgedrag.
Het gebruik van vochtig toiletpapier en het te frequent wassen van de vagina met zeep zorgen voor irritatie en een gestoord plasgedrag. Dit wordt vaak niet door de moeders begrepen omdat ze daar zelf geen last van hebben. Bij jonge meisjes bestaat het deklaagje van de vagina echter slechts uit één cellaag, waardoor het dus zeer gevoelig is voor beschadiging door zeep, daar waar bij volwassen vrouwen dit deklaagje meerdere lagen cellen bevat.
Kinderen worden vaak geleerd om niet naar 'vreemde' toiletten te gaan, en te wachten met plassen tot ze thuis zijn. Dit leidt ongetwijfeld tot verkeerd lang ophouden. Wanneer een kind eenmaal continent is, moet het worden gestimuleerd om ook op andere plaatsen en op andere toiletten te gaan plassen.

Wat mogen ouders niet doen?

Het is van belang dat men zich aan de volgende waarschuwingen houdt:

- nooit een kind te vroeg zindelijk proberen te maken.
- nooit starten met een zindelijkheidstraining 's nachts als het kind overdag niet volledig continent is voor stoelgang en urine.
- vermijd opmerkingen waarbij het kind de indruk kan krijgen dat de genitale streek 'vuil' is, dat het naar het toilet gaan 'vies' is.
- vermijd overdreven hygiënische gewoonten thuis die later het kind zullen verhinderen om ergens anders naar het toilet te gaan (vooral dan de zaken die later op school niet mogelijk zullen zijn: bijvoorbeeld gesloten toiletdeuren, roze toiletpapier met bloemetjes, het telkens wassen van de handen met geparfumeerde zeep en het afdrogen met een handdoek na het plassen).
- nooit vochtige toiletpapiertjes gebruiken.
- vermijd het gebruik van zeep en/of badschuim bij het wassen van de genitale streek bij meisjes.
- nooit een kind te vroeg op het grote toilet zetten, integendeel het kind zolang mogelijk stimuleren om op het potje, aangepast aan zijn grootte, te gaan.
- nooit een kind ervan beschuldigen dat het niet genoeg zijn best doet, tot dit bewezen is; nooit een kind hiervoor straffen.
- nooit een kind niet meer laten drinken na 4-6 uur 's middags omdat het niet zindelijk wordt.
- nooit van een probleem van bedplassen spreken voor het kind 5 jaar oud is.
- nooit starten met welke vorm van zindelijkheidstraining ook, tot er goed werd uitgezocht om welke vorm van enuresis/incontinentie het gaat. Elke training die het kind immers volgt, maar die mislukt omdat de therapie voor dat soort enuresis niet geschikt is, bezorgt ouders en kind een extra psychologische dreun.
- nooit kinderen verbieden om tijdens de lesuren naar het toilet te gaan, zonder eerst medisch advies in te winnen. Elke leraar of lerares die dit verbiedt, mag dit niet doen zonder een medisch voorschrift. Verbieden om te gaan plassen, is een medische beslissing die alleen door een arts kan worden genomen. Bij problemen kan men het beste contact opnemen met de schoolartsen.

Wanneer moet men een arts raadplegen voor incontinentie/-enuresis?

Betreffende de ontlasting:

- bij het niet continent zijn overdag op de leeftijd van 3 jaar.
- bij constipatie of zeer harde ontlasting.
- wanneer regelmatig vuile vegen in het broekje te zien zijn (encopresis), en bij ernstige diarree.

Betreffende urine overdag:
- een arts raadplegen is noodzakelijk indien het kind niet zindelijk is op de leeftijd van 4 jaar.
- een arts raadplegen kan vanaf 3 jaar.

Betreffende urine 's nachts:
- een arts raadplegen is noodzakelijk indien het kind niet droog is op de leeftijd van 7 jaar.
- een arts raadplegen kan vanaf de leeftijd van 5 jaar.

Mijn kind is 5 jaar en nog niet zindelijk, wat moet ik doen?

Wanneer een kind eenmaal 5 jaar oud is, is het vanwege de psychologische invloeden op het kind en het gezin nodig om het probleem aan te pakken. Op de vraag wie de ouders hiervoor kunnen raadplegen, zijn meerdere antwoorden mogelijk: huisarts, kinderarts, uroloog, psycholoog of een gespecialiseerd centrum. Het belangrijkste is dat de therapeut geïnteresseerd is, en dat er binnen het totale pakket van oorzaken eerst wordt gekeken tot welke subgroep het kind behoort, aangezien de behandeling voor elk subtype anders is.
Persoonlijk zijn wij tegenstander van proefbehandelingen omdat falen zowel voor kind als voor ouders onaanvaardbaar is.
Er bestaan verschillende types behandelingen, met elk hun voor- en nadelen. Daarom zijn wij, gedurende de laatste jaren, geleidelijk aan voorstander geworden van een multidisciplinaire aanpak die bestaat uit een integratie van de medische, fysiotherapeutische en psychotherapeutische mogelijkheden, en dit zowel tijdens de diagnostische als tijdens de therapeutische fase. Elk subtype, maar vaak zelfs elke patiënt, krijgt hierdoor een voor hem op maat gesneden behandeling. We benadrukken heel sterk de wederzijdse beïnvloeding van het organische functioneren en het gedrag. Bij een patiënt met een blaasfunctiestoornis bijvoorbeeld lijken psychologische factoren onbelangrijk in het ontstaan van het zindelijkheidsprobleem, maar daarmee kun je de psychologische gevolgen niet wegcijferen. Daarom is het ook belangrijk dat elk kind met problemen van bedplassen, broekplassen of ontlastingverlies eerst door een arts wordt onderzocht om medische of lichamelijke oorzaken uit te sluiten of te behandelen. Anderzijds is het zo dat medicatie alleen zelden een kind zindelijk maakt.
Men mag slechts starten met een behandeling als men er zeker van is dat deze grote kans van slagen heeft omdat ze aan het type bedplassen is aangepast en het kind voldoende gemotiveerd is. Proeftherapieën zijn niet aan te raden. Voordat men de behandeling start, moeten ouders en kind er ook van op de hoogte zijn gebracht dat de behandeling vaak tot 1 jaar kan duren.

ZINDELIJK OVERDAG

De tien geboden van de zindelijkheidstraining overdag

1. Start niet te vroeg met zindelijkheidstraining.
Een kind is pas rijp voor een zindelijkheidstraining wanneer zijn blaasje er rijp genoeg voor is. Praktisch is dit vanaf het moment dat de pamper bij meer dan de helft van de controles, anderhalf tot twee uur nadat het kind de pamper werd aangedaan, nog droog is.

2. Zet het kind pas op het potje wanneer het een 'volle' blaas heeft.
Een volle blaas is noodzakelijk om tot een normale plas en een normaal plaspatroon te kunnen komen, anders leert het kind persend plassen. Dit betekent dus dat de pamper minstens anderhalf tot twee uur droog is. Een zindelijkheidstraining moet dus aanvankelijk veel meer het ritme van de blaas volgen dan dat van het uurwerk van de ouders!

3. Geef het kind tijd om te plassen zodat het zich kan ontspannen en niet leert persen. Forceer het kind niet. Het is een goede methode om het kind telkens met de ouders mee naar het toilet te nemen, en het naast het grote toilet op zijn klein toiletje te zetten, waarbij het automatisch de ouders zal imiteren.

4. Kinderen moeten in een stabiele houding op het toilet zitten om zich voldoende te kunnen ontspannen. Dit houdt in dat ze pas naar het grote toilet mogen gaan wanneer ze met de voeten aan de grond kunnen. Een opstapje en een speciaal wc-inlegbrilletje voor iets grotere kinderen op het grote toilet kunnen een aanvaardbaar compromis vormen, maar voor kleine kinderen blijft de boodschap: niet te vroeg op het grote toilet.

5. De normale plashouding is hurkzit met de beentjes wijd, zowel voor jongens als meisjes. Leer dus ook de jongens zittend plassen, en stimuleer hen zeker niet om staande te gaan plassen, want dit bevordert perslozing.

6. Een belangrijk probleem hierbij is de kleding. Kinderen moeten zo gekleed zijn dat ze zichzelf gemakkelijk kunnen behelpen, wat vaak niet het geval is. Het broekje moeten ze tot aan de enkels laten zakken zodat ze de beentjes kunnen spreiden bij het plassen.

7. Pas uw toilettraining aan aan de realiteit buitenshuis.
Het toilet mag aangenaam zijn, maar men mag niet overdrijven. Alles waaraan men de kinderen thuis went, kan een belemmering vormen om ergens anders naar het toilet te gaan. Pas uw hygiënische eisen alstublieft aan aan de realiteit van de schooltoiletten:
- gebruik gerecycleerd toiletpapier.
- leer uw kind niet dat het na het naar het toilet gaan, altijd zijn handen moet wassen als het dat later op school niet kan.
- leer uw kind te gaan zitten op een wc-bril: besmettingen worden echt niet via de wc-bril overgedragen!
- leer uw kind ook naar een toilet buiten het eigen huis te gaan dat niet verwarmd is, waarbij de deur niet op slot kan, waarbij er lawaai voor de deur is, en waar er boven en onder de toiletdeur een opening is.
In de marge van deze hygiënische raadgevingen willen we ook vermelden dat een vagina van een klein meisje niet dagelijks met zeep mag worden gewassen, en dat het gebruik van vochtig wc-papier (de nieuwste rage) uit den boze is bij kleine meisjes.
Kinderen moeten leren om zich af te vegen van voren naar achteren.

8. Blijf aandacht hebben voor een normaal plas en drinkpatroon, ook als uw kind al zindelijk is overdag. Veel kinderen drinken overdag veel te weinig en verplaatsen hun vochtinname naar na 16 u. Een kind zou op geregelde tijdstippen (om 8u, 10u, 12u, 16u en bij het avondeten) minstens een vol glas water moeten drinken. Slechts 1 op de 3 glazen mag een melkproduct bevatten. Vermijd koffie, cola en thee omdat deze de blaas zenuwachtiger maken. Stimuleer uw kind om tijdens elk speelkwartier te gaan plassen (zo'n 4 tot 5 keer per dag).

9. De normale leeftijd waarop een kind continent wordt overdag, is 3,5 jaar, en dus niet voor de kleuterleeftijd (2,5 j).
Indien uw kind op de leeftijd van 2,5 jaar nog niet zindelijk is, spreek daar dan over met de juf of houd het kind nog thuis. Ga in ieder geval niet over tot een geforceerde zindelijkheidstraining.
Aan kinderen, jonger dan 12 jaar, die tijdens de les vragen om naar het toilet te gaan, mag dit nooit worden geweigerd. Dit is een teken aan de wand dat er een probleem is: ofwel heeft een kind een blaasstoornis, ofwel vindt het een probleem om tijdens het speelkwartier naar het toilet te gaan.

10. Neem contact op met uw arts
• indien uw kind met 3,5 jaar nog steeds niet zindelijk is overdag, zelfs al verliest het regelmatig slechts kleine druppeltjes.
• als het kind regelmatig tijdens de les naar het toilet moet.

ZINDELIJK 'S NACHTS

Hoe wordt mijn kind zindelijk 's nachts?

Wanneer een kind sinds meerdere maanden volledig zindelijk is overdag en een blaasvolume heeft dat groter is dan de nachtelijke urineproductie, dan wordt het vanzelf zindelijk tussen de leeftijd van 2 en 5 jaar, de zogenaamd cognitief gevoelige leeftijd.
Kinderen worden niet spontaan zindelijk 's nachts als:
- ze geen volledige continentie bereiken overdag.
- ze 's nachts meer urine produceren dan hun blaasje kan bevatten omdat hun blaasje te klein is, of omdat ze te veel urine maken 's nachts.
- er een stoornis is in het cognitieve leerproces dat plaatsvindt tussen 2 en 5 jaar.

Wanneer kan men starten met de zindelijkheidstraining?

Alleen als het kind reeds bewezen heeft dat het 'zindelijk kan zijn', dus als het al minstens meer dan 3 dagen per week 's nachts droog is zonder op te staan.

Wat kan ik als ouder zelf doen?

• De pamper weglaten: de pamper mag pas worden weggelaten als het kind minstens 3 dagen per week 's morgens een droge pamper heeft. Bij jongere kinderen wacht men zelfs beter tot ze 4 à 5 dagen per week droog zijn, om niet tot overstimuleren te komen en bij mislukken geen onnodige frustraties te veroorzaken.
• Het kind een vast plas- en drankschema opleggen: zorgen voor voldoende vochtinname.
• De kalendermethode toepassen: de 'zonnetjes en wolkjes'-methode.

Wat mag ik als ouder niet doen?

• Voor de leeftijd van 7 jaar is bereikt, is bedplassen niet abnormaal, maar vaak is het sociaal niet meer aanvaardbaar vanaf de leeftijd van 5 jaar. Op de leeftijd van 5 jaar plassen nog 15 % van de 'normale' kinderen in bed, zodat men dan niet van bedplassen mag spreken.
• U mag uzelf of uw kind geen verwijten maken omtrent het probleem. Er ligt bijna nooit een psychologisch probleem aan de basis, zodat de schuldvraag misplaatst is.

• Er mag geen verbod worden ingesteld om na 17 uur nog te drinken. We adviseren integendeel om de kinderen meer te laten drinken overdag tot aan de avondmaaltijd. Na het avondeten wordt dan wel afgeraden om de kinderen nog veel te laten drinken.
• Het kind moet niet leren opstaan om zindelijk te worden, want in het normale droogwordingsproces wordt een kind continent zonder op te staan, en slaapt het de hele nacht door. Wanneer een kind eenmaal gedurende 3 maanden elke nacht droog is, zal het die ene nacht dat het te veel urine produceert, wel vanzelf opstaan.
• Het weglaten van de pamper is alleen verdedigbaar als het kind droog 'kan' zijn, en dit bewijst het door meer dan 3 tot 4 dagen per week 's morgens een droge pamper te hebben. Indien het kind na het weglaten van de pamper gedurende 2 tot 3 weken toch niet zindelijk wordt, wordt de pamper het beste opnieuw ingeschakeld, anders straft men zichzelf en vooral het kind.
• Een echte behandeling mag men pas starten nadat het kind door een arts werd onderzocht, en nadat werd nagegaan tot welke soort 'bedplassers' het kind behoort, omdat de behandeling aan het type moet worden aangepast. Proefbehandelingen zijn af te raden omdat ze het kind en de ouders de illusie geven dat het zal lukken, waarna bij mislukking de frustratie des te groter is. Wachten tot het kind ouder dan 7 jaar is geworden, is niet wenselijk, want er is een behandeling mogelijk. Indien uw kind op de leeftijd van 7 jaar nog niet zindelijk is, neem dan contact op met uw arts.

4 Urineverlies bij kinderen: wat zijn de oorzaken? Hoe kunnen we dit behandelen?

Dr. Piet Hoebeke, kinderuroloog

Problemen met urineverlies bij kinderen zijn het gevolg van stoornissen in de normale blaasfunctie. Om die stoornissen te begrijpen, moet men inzicht hebben in de normale blaasfunctie bij het kind.

De blaasfunctie bij kinderen

Het ontstaan van de normale blaasfunctie

Het feit dat kinderen in hun jonge leven zindelijk moeten worden voor urine, zorgt ervoor dat de blaasfunctie bij hen ingewikkelder is dan bij volwassenen. De blaas van een pasgeborene werkt immers heel anders dan de blaas van een kind van zes jaar. De zindelijkheid of de controle over de blaas en de sluitspier worden door het kind normaal verworven tijdens de eerste vijf levensjaren.
Bekijken we het zindelijkheidsproces voor ontlasting en urine bij het kind, dan ziet de opvolging in de tijd er als volgt uit:
1) controle over de stoelgang 's nachts.
2) controle over de stoelgang overdag.
3) controle over de urine overdag.
4) controle over de urine 's nachts.
De blaasfunctie begint te werken tijdens de zesde levensmaand in de moederschoot. Hoe ze werkt, is nog onduidelijk, maar uit echografie blijkt dat de blaas van een ongeboren kind zich regelmatig ledigt. Mogelijk gaat het hier louter om een werking van de blaasspier, los van het zenuwstelsel. Ofwel bestaat er reeds een primitieve zenuwreflex die nog niet wordt gestuurd vanuit het ruggenmerg, maar gewoon in de zenuwen ontstaat.
De blaas van een pasgeborene en van een zuigeling werkt als een automaat, ook wel reflectoir genoemd. Het signaal voor deze activiteit ontstaat niet in de hersenen, maar wel ergens in het ruggenmerg. Deze activiteit kan dus niet worden gestuurd door de wil en gebeurt volledig automatisch. Voelen dat de blaas vol is of zelf de urinelozing sturen, is dus niet mogelijk op deze leeftijd. Hierbij komt nog het feit dat de blaas van kinderen in deze leeftijdsgroep zeer klein is. De gemiddelde blaasinhoud van een pasgeborene bedraagt ongeveer 20 milliliter. Een pasgeborene plast ongeveer 20 keer per dag.

Doordat tijdens het eerste levensjaar de organen sterk gaan groeien, zien we dat op de leeftijd van 1 jaar het blaasvolume ongeveer 80 milliliter bedraagt. Hierdoor gaat een kind van die leeftijd minder vaak plassen dan een pasgeborene. Het betreft hier een louter fysiek fenomeen en het feit dat een kind van 1 jaar minder vaak plast dan een pasgeborene, heeft niets te maken met het zindelijk worden, de blaas werkt nog steeds als een automaat. Deze automaat is zo perfect afgesteld dat de blaas zich volledig kan ledigen. Hiervoor bestaat een perfecte samenwerking tussen de blaasspier en de sluitspier: de sluitspier blijft zolang openstaan totdat de blaas zich volledig heeft geledigd.
Tussen de leeftijd van 0 en 1 jaar zien we dat de blaas verder groeit, waardoor de plasfrequentie verder afneemt. Af en toe blijkt bij de pamper-wissel er een pamper droog te zijn gebleven. Maar ook dit is geen teken van het tot stand komen van de blaascontrole.
Tussen de leeftijd van 1 en 2 jaar begint de volgroeiing van het onwillekeurig zenuwstelsel dat de blaas zal sturen. Tegelijk zien we ook dat de controlecentra van de blaas, die in de hersenen gelegen zijn, gaan volgroeien. Zodra deze zenuwknooppunten volgroeid zijn, zal het kind voelen dat de blaas vol is, of dat het plast. Deze stap is zeer belangrijk bij het verwerven van de zindelijkheid. Om controle te krijgen over de functie van een orgaan, is het immers nodig dat men gewaarwordt wat er zich in het orgaan afspeelt.
Voordat men een volle blaas kan ledigen, moet men eerst kunnen voelen wat het is een volle blaas te hebben. De tegenwoordige luierrage, waarbij wordt gestreefd om baby's billetjes zo droog mogelijk te houden, biedt zeker geen hulp bij het leren appreciëren van het normale gevoel van de blaas. Als we er eerst voor zorgen dat een kind dat een dergelijke luier draagt, niet voelt dat het nat is, dan kunnen we niet eisen dat op een dag – de dag waarop wij beslissen dat het kind zindelijk moet worden – het kind plotseling wel goed kan voelen wat er in de blaas gebeurt. De industrie heeft er misschien voor gezorgd dat luieruitslag minder voorkomt, maar waarschijnlijk heeft ze er ook voor gezorgd dat er meer kinderen zijn die met een slechte beheersing van de blaasfunctie te maken krijgen.
Zeker is dat vanaf het moment dat een kind de signalen vanuit zijn blaas bewust ontvangt en begrijpt, het aanleren van gedrag kan helpen bij het ontwikkelen van de zindelijkheid. Zindelijkheidstraining is echter geen noodzaak om 'droog' te worden. Ook zonder training verwerft een kind een normale blaasfunctie. Geforceerde zindelijkheidstrainingen daarentegen veroorzaken vaak problemen met de blaasfunctie.
Nadat het kind heeft geleerd te voelen wanneer de blaas vol is en wanneer er geplast wordt, leert het de plas uitstellen. Dit kan meestal pas

vanaf de leeftijd van 2 jaar. Op dat moment leert het kind gebruik te maken van de willekeurige spieren van de sluitspier. Door de sluitspier aan te spannen op het moment van de plasdrang, kan het kind urineverlies tegengaan en slaagt het er ook in de samentrekking van de blaas, die de plasdrang heeft veroorzaakt, te onderdrukken. Op deze manier wordt de blaas weer rustig en kan ze zich verder vullen. De klassieke 'ongelukjes' bij het kind dat zindelijk wordt, treden op dergelijke momenten op. In dit stadium kan zindelijkheid optreden, doch de blaas is nog niet volledig volgroeid.
Van volledige volgroeiing is pas sprake op het moment dat het kind in staat is om op elk gewenst ogenblik en bij elke blaasvulling te plassen. Hiervoor is meer nodig dan alleen het bewust kunnen aanspannen van de sluitspier. Hiervoor dient het kind de vaardigheid te verwerven om de sluitspier actief te openen. Door de sluitspier open te zetten, zal er immers een beetje urine in de urinebuis stromen, en het is de aanwezigheid van urine in het plaskanaaltje die de blaas aanzet om samen te trekken. Deze vaardigheid wordt verworven tussen de leeftijd van 3,5 en 6 jaar.
Deze laatste fase in de blaasvolgroeiing is heel belangrijk. Bij onvoldoende volgroeiing van de blaas blijkt vaak dat dit laatste aspect niet verworven is. Veel kinderen met een blaasstoornis kunnen inderdaad de sluitspier niet goed loslaten om zo het plassen te starten. Meestal hebben ze door een geforceerde zindelijkheidstraining vooral geleerd hun sluitspier te spannen. Hierdoor hebben ze een overtrainde sluitspier die ze niet goed kunnen openzetten. Deze kinderen zullen hun urine dus ophouden totdat de blaas vanzelf begint samen te trekken, net zoals dat bij de automatische blaas van het kleine kind het geval is. Ze worden in hun spel verrast door deze blaascontractie. Meestal is er reeds een drupje urine in de broek en moeten deze kinderen naar het toilet rennen. Eenmaal op het toilet ontspannen ze dan toch hun sluitspier en kunnen ze plassen. Vaak echter kunnen ze de sluitspier niet voldoende ontspannen zodat er stukje bij beetje wordt geplast, of soms wordt de blaas onvolledig geledigd.
Naast de eigenlijke ontwikkeling van de blaasfunctie is ook het volgroeien van de thermostaat die de waterhuishouding regelt, essentieel om normaal zindelijk te worden. Deze thermostaat zorgt ervoor dat wij tijdens de nacht minder vocht gaan aanmaken. Hij wordt geregeld door een hormoon, het anti-diuretishormoon (ADH). Dit is een stof die wordt aangemaakt in de hersenen, en die de urineproductie ter hoogte van de nier doet afnemen. Normaal wordt er 's nachts meer van deze stof aangemaakt dan overdag, zodat er 's nachts minder urineproductie is dan overdag. Bij een pasgeboren kind is deze thermostaat nog niet ingesteld. Dit betekent dat een pasgeborene overdag en

's nachts evenveel vocht aanmaakt. Pas rond het tweede levensjaar raakt deze thermostaat ingesteld.
Zoals reeds vermeld, gaat ook het volume van de blaas toe nemen in deze leeftijdsperiode. De beide effecten zorgen ervoor dat op een bepaald moment de vochtproductie tijdens de nacht kleiner wordt dan het blaasvolume, en dit is het moment waarop kinderen 's nachts spontaan droog blijven.

De normale blaasfunctie

De normaal volgroeide blaas is een reservoir voor urine. Urine is in feite afvalwater van de nieren. Onze nieren filteren afvalstoffen uit het bloed en transporteren die dan via de urineleiders naar de blaas (fig. 17). De blaas zelf heeft twee functies: ze moet het afvalwater opslaan en daarvoor beschikt ze over een reservoirfunctie, en ze moet de afvalstoffen kunnen uitscheiden en daarvoor beschikt ze over een lozingsfunctie.

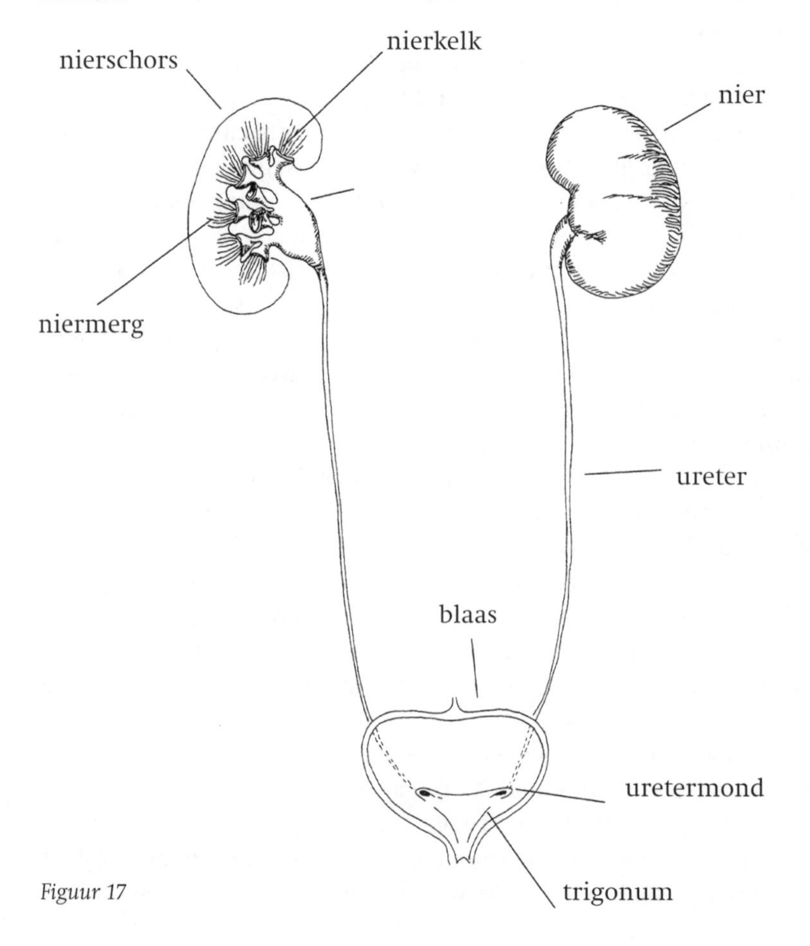

Figuur 17

Om deze beide functies te kunnen uitvoeren, bestaat de blaas uit twee spiereenheden: enerzijds is er de blaasspier (het reservoir) en anderzijds de sluitspier (de stop). Deze spieren behoren tot twee verschillende spiergroepen met verschillende bezenuwing. De blaasspier is een gladde spier en is onwillekeurig bezenuwd (dit betekent dat we ze niet kunnen beïnvloeden door onze wil). De sluitspier is een dwarsgestreepte spier en is willekeurig bezenuwd (dit betekent dat we ze kunnen beïnvloeden door onze wil). De sluitspier is dus het stuur van het hele systeem, het deel dat we kunnen controleren.
We weten nu reeds dat we twee verschillende structuren hebben met twee verschillende bezenuwingssystemen die moeten samenwerken om de verzamelfunctie en de lozingsfunctie van de blaas te kunnen waarmaken.
Om deze functies te begrijpen, volstaat een eenvoudige vergelijking met de werking van de wangen en de mond bij het spoelen van de mond. Als we na het tandenpoetsen water in de mond willen nemen, moeten de wangen zich ontspannen en moet de mond zich sluiten. Als we het water willen uitspuwen, moeten de wangen aanspannen en moet de mond opengaan. Dat geldt evenzo voor de blaas. Om als reservoir te dienen, moet de blaasspier zich ontspannen en de sluitspier zich spannen. Om te lozen, moet de blaasspier zich spannen en de sluitspier opengaan. De twee verschillende spiergroepen met de verschillende bezenuwingssystemen moeten dus tegengestelde bewegingen gecoördineerd uitvoeren. Dat dit een ingewikkelde functie is, zal wel duidelijk zijn. Louter technisch gezien is deze functie veel ingewikkelder dan de hartfunctie.
Om dit ingewikkelde proces succesvol te kunnen uitvoeren, zijn dus coördinatiecentra nodig. Het eerste centrum ligt in het lage ruggenmerg onderaan in de rug. Dit centrum is echter een primitief centrum en heeft spontaan de neiging om actief te zijn. Het is het centrum dat bij de pasgeborene de blaasfunctie stuurt. In de voorhoofdskwab van onze hersenen hebben we een uiterst ingewikkeld centrum dat de werking van het primitieve ruggenmergcentrum beheerst en controleert (fig. 18). Met deze perfecte structuur hebben we een blaas met een perfecte functie, waardoor de nieren beschermd zijn tegen overdruk, en waarmee we droog kunnen blijven. Het laatste betekent dat we zelf kunnen beslissen wanneer en waar we urine lozen.
Uiterst belangrijk bij deze blaasfunctie is de lage druk die in dit systeem heerst. Inderdaad verzamelt en loost onze blaas urine bij drukken die lager blijven dan 40 cm waterdruk. Dit is het allerbelangrijkste bij de blaasfunctie: ze speelt zich af onder lage drukken. Dit is vooral van belang om de nieren te beschermen tegen beschadiging. Hoge druk is immers zeer schadelijk voor de nierfunctie. Hoge druk op de

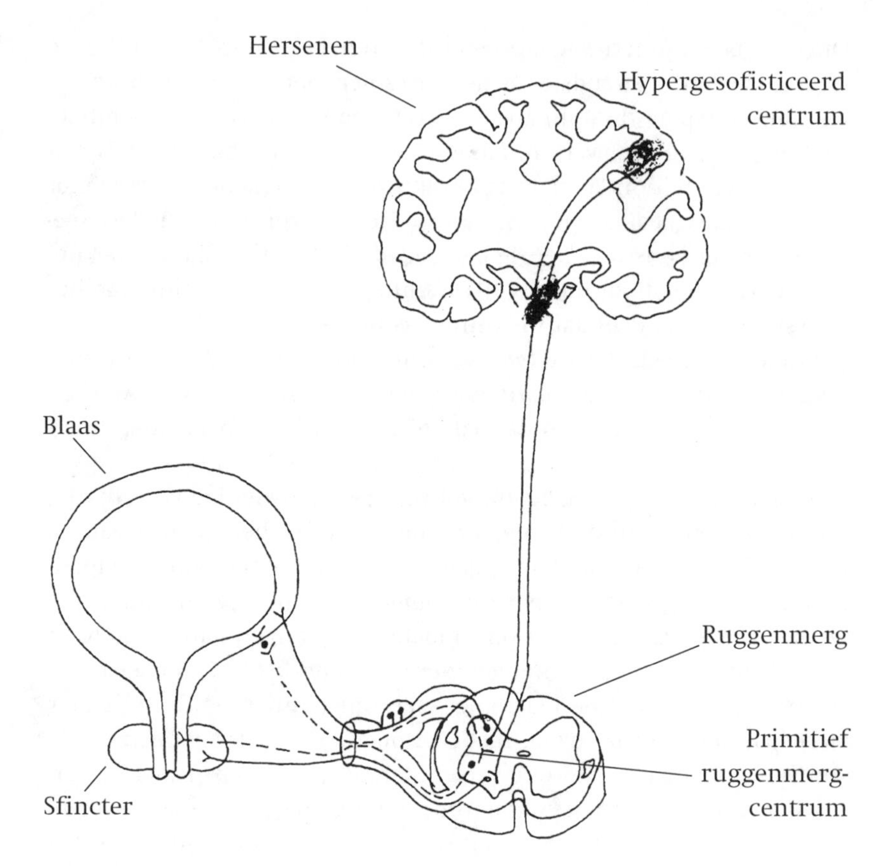

Figuur 18

ultrafijne nierfiltertjes beschadigt deze, en bij hoge druk bestaat het risico dat het afvalwater tegen de stroom in naar de nieren loopt en zo eventuele ontstekingen vanuit de blaas in de nieren brengt. Een dergelijke ontsteking kan nierbeschadiging veroorzaken.
Het belangrijkste teken bij een stoornis in de functie is urineverlies of incontinentie.

Stoornissen in de blaasfunctie

Urineverlies of incontinentie

Incontinent zijn voor urine betekent niet-continent zijn voor urine. Om incontinentie te kunnen begrijpen, moeten we een goede definitie formuleren voor continentie.

Definitie van continentie

Continent zijn voor urine betekent beschikken over de mogelijkheid om de urine te lozen op een zelf gekozen tijdstip op een daarvoor sociaal aangepaste plaats.

Voorwaarden om continent te worden

Om tot continentie te komen, moet aan een aantal voorwaarden worden voldaan. De geproduceerde urine moet in de blaas terechtkomen en de blaas moet zonder lekken kunnen verzamelen. We moeten over de mogelijkheid beschikken om juist in te schatten wanneer onze blaas gevuld is. Een normaal ontwikkeld blaasgevoel is dus essentieel. Daarnaast moeten we de plasdrang onder controle kunnen houden totdat we op de juiste plaats zijn aangekomen om de urine te lozen. Hiervoor moet de samentrekking van de blaas vanuit onze hersenen kunnen worden tegengehouden. Ook moeten we over voldoende geestelijke mogelijkheden beschikken om ons te begeven naar een voor plassen aangewezen plaats: het toilet. Daarvoor moeten we het toilet kunnen onderscheiden van een andere plaats, en moeten we over de fysieke mogelijkheid beschikken om ons daarheen te begeven. Als mens in de westerse maatschappij moeten we de vaardigheid hebben om ons van onze kleren te ontdoen en in het toilet te plassen. Ten slotte moeten we onze blaaslediging kunnen starten en moet de blaaslediging onbelemmerd kunnen plaatsvinden.

Voorwaarden om continent te zijn

1. Alle urine komt terecht in de blaas.
2. De blaas kan zonder te lekken urine opslaan.
3. Normaal ontwikkeld blaasgevoel.
4. Lichamelijke en geestelijke mogelijkheden om op een geschikte plek te kunnen plassen zijn aanwezig.
5. De blaaslediging kunnen starten.
6. Onbelemmerde blaaslediging is mogelijk.

Is er bij huisdieren sprake van continentie?

Bij honden en katten bestaat er een zekere vorm van continentie. Zij zijn vaak in staat de vullingstoestand van hun blaas te onderkennen. Als hun blaas vol is, zullen ze vragen om buiten gelaten te worden. Ze zijn dus ook in staat blaascontracties gedurende een bepaalde tijd te onderdrukken. Bovendien kunnen ze zich verplaatsen naar die plek die voor hen sociaal aanvaard is, met name buitenshuis. Katten kunnen bovendien binnenshuis nog beschikken over een toilet in de vorm van de kattenbak.

Bij dieren heeft de uitscheiding ook andere functies, zoals territoriumafbakening en aantrekking van partners.

Andere gedomesticeerde dieren zoals varkens, koeien en paarden zijn niet continent volgens de bovenstaande definitie. Zij hebben wel een blaas die een zekere hoeveelheid urine toelaat, waardoor ze tussen de urinelozingen door geen urine verliezen, maar zij zijn niet continent in die zin dat ze hun urine alleen lozen op een specifieke plek. Wel zijn ze in staat hun plas eventueel uit te stellen. Een paard zal zelden plassen tijdens het rennen. Dit is echter veeleer een reflexmatige continentie.

Volgens wat hierboven beschreven werd, is het jonge kind dus niet continent. Inderdaad beschikt het niet over de mogelijkheid de vullingstoestand van de blaas in te schatten. Bovendien kan het de automatische blaasactiviteit niet onderdrukken, laat staan dat het in staat zou zijn zich naar het toilet te begeven en zich te ontdoen van kleding.

Definitie van incontinentie

Men spreekt van incontinentie wanneer er lekkage optreedt van minstens 1 milliliter urine, minstens 1 keer per week, bij een kind ouder dan 5 jaar.

Met lekkage wordt bedoeld dat de urine terechtkomt op een plaats waar ze niet hoort terecht te komen, bijvoorbeeld in de broek of op het beddengoed. Dat 1 ml voldoende is om een zichtbare natte vlek te geven, kan men zich het best voorstellen door 1 ml vocht uit te gieten op een doek: er ontstaat een vlek met een doorsnede van 4 cm.
Hoe vaak problemen van urineverlies bij kinderen voorkomen, is niet te schatten. Er blijft immers een groot stilzwijgen rond deze problematiek. Voor kinderen onderling is dit niet bespreekbaar en ouders praten meestal niet graag over dit probleem van hun kinderen. Te vaak wordt men met de vinger gewezen.
Als we toch enkele cijfers willen geven, kunnen we stellen dat ongeveer 15 % van de kinderen van 5 jaar problemen heeft met de urine-uitscheiding overdag of 's nachts of gecombineerd. Hiervan zal ongeveer 6.5 % het probleem meedragen tot op volwassen leeftijd, aangezien ongeveer 1 % van de 20-jarigen hiermee nog problemen heeft.

Soorten urineverlies

Urineverlies kan op verschillende tijdstippen optreden, met name overdag en 's nachts. Dit brengt ons bij twee hoofdgroepen van urineverlies: nachtelijk urineverlies en urineverlies overdag. Het verschil tussen deze twee groepen wordt vooral bepaald door de slaap, en bijgevolg is er dus een verschil in de bewuste controle die op dat moment over de urinelozing kan heersen.
Daarnaast kan urineverlies op verschillende manieren optreden:

1. Urineverlies volgens het normale ledigingsmechanisme van de blaas
Er wordt een volledige plas gedaan met een volledig normaal gecoördineerde blaasfunctie. In dit geval spreken we van enuresis, afgeleid van het Griekse ενυρειν, wat wateren betekent. Enuresis kan overdag optreden, en dan spreken we van enuresis diurna; en enuresis kan 's nachts optreden, en in dit geval spreken we van enuresis nocturna of bedplassen. Wanneer men een volledige normale plas doet op de verkeerde plaats, spreekt men dus van enuresis.

2. Incontinentie voor urine
Wanneer het urineverlies niet optreedt volgens het enuresis-mechanisme, spreken we van incontinentie voor urine. Ook dit kan weer overdag of 's nachts. We spreken van urine-incontinentie overdag, en van urine-incontinentie 's nachts.
Deze urine-incontinentie kan echter veel vormen aannemen. Het gaat dus om urineverlies uit de blaas volgens een gestoord lozingsmechanisme. We zouden dus kunnen spreken van urinelekkage. Deze lekkage kan continu zijn, zoals bij sommige aangeboren afwijkingen van het urinewegstelsel (een ectopie). Ze kan sporadisch optreden of zeer regelmatig.
De beste manier om dit urineverlies te beschrijven, is door aanduiding van het tijdstip van verlies en de hoeveelheid. Bijvoorbeeld: in de namiddag om de twee uur een klein vlekje.
Ook de hoeveelheid urineverlies is dus belangrijk. De beste manier om dit weer te geven, is het aantal keren per dag aan te duiden dat het ondergoed verschoond moet worden, of de hoeveelheid incontinentiemateriaal die moet worden gebruikt. Het spreekt vanzelf dat 1 inlegkruisje per dag niet te vergelijken is met 4 natte luiers per dag.
Het urineverlies kan organische oorzaken hebben die ofwel structureel zijn, ofwel neurogeen. Zijn deze oorzaken structureel, dan betekent dit dat er iets in de structuur van het verzamel- en/of lozingsorgaan fout is. Extrofia bijvoorbeeld is een afwijking waarbij een kind geboren wordt met een open blaas. Bij deze afwijking bestaat er geen sluitspier omdat deze in het embryonale leven niet werd aangelegd.
Gaat het om neurogene oorzaken, dan betekent dit dat er iets fout is aan de zenuwen die de opslag- en lozingsfunctie sturen. Bij een kind bijvoorbeeld dat geboren is met een open ruggetje (spina bifida), zullen de zenuwkernen die de blaas sturen, meestal vernietigd zijn.
Daarnaast kan het urineverlies functioneel zijn. Dit betekent dat er geen ziekte of verwonding, noch een aangeboren afwijking aanwezig is, terwijl de functie van de blaas toch gestoord verloopt.
Op deze manier kunnen we de oorzaken van problemen van urineverlies bij kinderen in 3 groepen indelen:

1. Neurogene organische oorzaken of neurogene blaas.
2. Structurele organische oorzaken of uropathie.
3. Functionele stoornis of functionele blaasstoornis.

Ten slotte dienen we nog onderscheid te maken tussen een primaire stoornis en een secundaire stoornis. De primaire stoornis heeft altijd bestaan. Primair betekent hier dat er geen continentieperiode van langer dan 2 maanden heeft bestaan. Bij de secundaire stoornis is er een periode van continentie geweest die langer dan 2 maanden heeft geduurd. Zo spreken we van primaire enuresis nocturna en secundaire enuresis nocturna.

Oorzaken van urineverlies

We zullen nu de oorzaken van urineverlies bij kinderen beschrijven, uitgaande van de hierboven beschreven voorwaarden om continent te zijn. Urineverlies ontstaat immers als er niet voldaan is aan deze voorwaarden.

Alle urine komt terecht in de blaas

Dit betekent dat de urineleiders die de urine van de nier naar de blaas transporteren, moeten uitmonden in de blaas. Bij ureterectopie is dit niet het geval (fig. 19). Hierbij mondt de urineleider niet uit in de blaas. Deze afwijking is zeldzaam en geeft bij jongens meestal geen

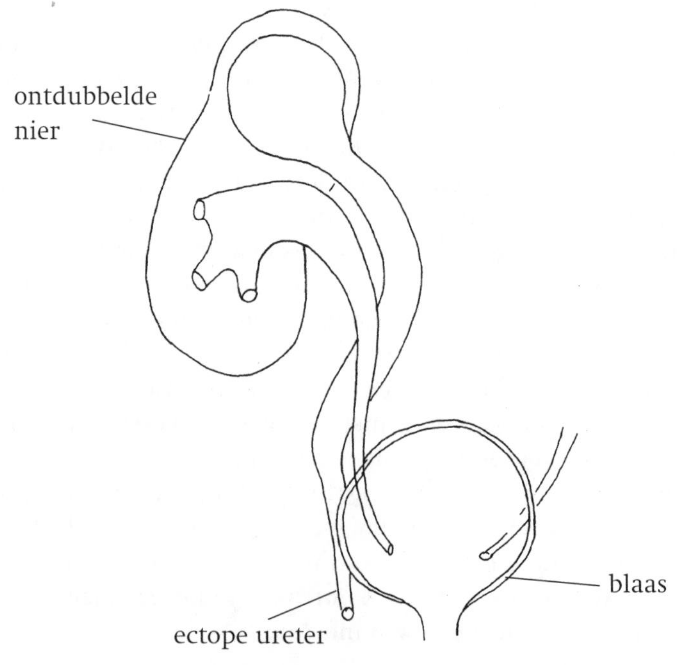

Figuur 19

problemen omdat de urineleider nog steeds ergens binnen de sluitspier uitmondt. Bij meisjes echter mondt hij meestal ergens in de vagina uit. Ectopie vinden we meestal bij een dubbele nier (een dergelijke nier bestaat uit twee helften met een insnoering ertussen). Bij meisjes geeft dit een typisch patroon van urineverlies. Het meisje is nooit droog geweest, niet voor één minuut en niet zolang iemand het zich kan herinneren. Er is dus sprake van continu urineverlies.

Voor het opsporen van dergelijk continu urineverlies bestaat er een eenvoudige test: de kookwekkertest. Het kind trekt onmiddellijk na het plassen een schone onderbroek aan en stelt de kookwekker in op 15 minuten. Als de kookwekker rinkelt, wordt er gecontroleerd of de onderbroek nog droog is. Is dit het geval, dan kan men de tijd verlengen om er een idee van te krijgen hoe lang een kind droog kan zijn. Is het kind al nat na 15 minuten, dan doet men de test opnieuw met een kortere tijdslimiet. Een meisje dat slechts enkele minuten een droge broek kan hebben, heeft een ectopie tot het tegendeel is bewezen.

De blaas kan lekvrij opslaan

Hierbij zijn zowel 'lekvrij' als 'opslaan' belangrijk.
Om lekvrij te zijn, moet de sluitspier (sfincter) goed afsluiten. Hiervoor moet ze normaal bezenuwd zijn. Bij een gestoorde bezenuwing kan een neurogene sfincterdeficiëntie bestaan, zoals bij sommige kinderen die geboren zijn met een open ruggetje. De verbinding met het coördinatiecentrum in het ruggenmerg bestaat dan niet meer.
Er zijn ook verschillende aangeboren afwijkingen aan de blaas en de sluitspier die urinelekkage veroorzaken. Bij blaasextrofie, een zeldzame maar ingrijpende afwijking waarbij de blaas en de urinebuis niet gesloten zijn, vinden we vaak een slecht functionerende sluitspier. Ook bij epispadie, waarbij het plasgaatje zich bovenop de penis bevindt, vinden we vaak een slecht werkende sluitspier. Bij hypospadie, waarbij het plasgaatje onderaan op de penis uitmondt, ondervinden we geen problemen met de continentie. Het is echter wel de frequentste aangeboren afwijking van de geslachtsorganen bij jongens. Ongeveer 1 op 300 jongetjes wordt met deze afwijking geboren.
Ten slotte zijn er nog de lekken die veroorzaakt kunnen zijn door chirurgische ingrepen. Zo kan bij meisjes na chirurgie een opening tussen blaas en vagina ontstaan zodat de urine continu in de vagina loopt vanuit de blaas.
Om te kunnen verzamelen, moet de blaasspier zich laten uitrekken. De uitrekbaarheid van de blaas wordt bepaald door de elastische kwaliteiten van de blaas, die zelf beïnvloed worden door de samenstelling van het spierweefsel en het bindweefsel (dit is het weefsel dat tussen

de spiervezels ligt en deze bij elkaar houdt). De spier moet tijdens de vulling in rust zijn en bovendien moeten de spiervezels zich laten uitrekken. Indien de spier niet rustig is, ontstaan samentrekkingen tijdens de vulling. Een samentrekking van de blaasspier zonder de intentie om te plassen, noemen we blaasinstabiliteit.
Bij kinderen met een gestoorde blaasfunctie vinden we vaak instabiele contracties. Deze hebben waarschijnlijk te maken met het niet normaal volgroeien van de blaas. Ook als de blaas harder moet werken, omdat ze bijvoorbeeld tegen een gesloten sluitspier inwerkt, kan ze instabiel worden, dit omdat ze hierdoor een te sterke en te geprikkelde spier ontwikkelt.
Ook de bindweefselcomponent van de blaas bepaalt de uitrekbaarheid. Om goed rekbaar te zijn, moeten de verschillende elementen waaruit het bindweefsel van de blaas is samengesteld (collageen type I en III, en elastine), in de juiste verhoudingen aanwezig zijn. Als de blaas bijvoorbeeld langdurig tegen een verhoogde weerstand moet inwerken (zoals bij onvoldoende ontspannen van de sluitspier), zal het bindweefsel stugger worden en neemt de rekbaarheid van de blaas af. Men spreekt dan van een lage compliance.

Normaal ontwikkeld blaasgevoel

Het beste voorbeeld om het belang van het normale blaasgevoel bij het zindelijk zijn te illustreren, vinden we bij een blaasontsteking. Ontsteking van het slijmvlies van de blaas veroorzaakt een verhoogde gevoeligheid van dit blaasslijmvlies. Hierdoor krijgt men vaak plasdrang en moet men ook vaak plassen, soms gaat het hierbij om heel kleine hoeveelheden urine. Bij hevige vormen van ontstekingen ontstaat urineverlies.
Soms blijft deze verhoogde gevoeligheid van de blaas bestaan na genezing van de ontsteking. Het is alsof de 'gevoelscomputer' van de blaas opnieuw, op een ander niveau, werd geprogrammeerd.
Bij sommige kinderen met plasproblemen vinden we een te kleine blaasinhoud door gevoelsstoornissen. Ze voelen te snel dat hun blaas vol is. Ze hebben aandrang tot plassen en zelfs urineverlies door deze hevige aandrang. Soms spreekt men bij deze kinderen van aandrangsyndroom.
Andere kinderen daarentegen hebben te weinig gevoel in hun blaas. Een typisch voorbeeld is het meisje met de 'luie blaas'. Door langdurig de plas uit te stellen, omdat men bijvoorbeeld een afkeer heeft van het schooltoilet, leert men het volle-blaasgevoel af.

Lichamelijke en geestelijke mogelijkheden om te plassen zijn aanwezig
Als iemand niet in staat is zich te verplaatsen, dan moet hij aanpassingen regelen om continent te blijven. Zo is er bijvoorbeeld een aangepast toilet voor de rolstoelgebruiker. Een ander voorbeeld is de bedpan of steek voor bedlegerige patiënten. Hier moet echter ook aan de voorwaarde worden voldaan dat er een systeem bestaat om een beroep te doen op iemand die de bedpan kan brengen.
Dat men over voldoende geestelijke vermogens moet beschikken om zindelijk te zijn, is indirect duidelijk als men weet hoe vaak urineverlies voorkomt bij geestelijk gehandicapte kinderen. Men moet geestelijk in staat zijn om het gevoel van een volle blaas te kunnen interpreteren en dan ook de nodige juiste acties te kunnen uitvoeren, zoals naar het toilet gaan en zich ontdoen van kleren. Een geestelijke leeftijd van 4 jaar is hiervoor meestal nodig.

De blaaslediging kunnen starten
Het willekeurig kunnen starten van de plas is belangrijk om continent te zijn. Zoals reeds gezegd, is de sluitspier het stuur van het hele systeem. Het plassen begint met het willekeurig openzetten van de sluitspier. Om normaal te kunnen plassen, moeten we dus de sluitspier kunnen openzetten.
Ook het willekeurig kunnen spannen van de sluitspier kan belangrijk zijn om droog te blijven. Het is de noodrem die gebruikt kan worden in afwachting van het vinden van een toilet. Dit kan echter ook een slechte invloed hebben op de blaas. Als men deze noodrem te vaak gebruikt, kan een dusdanige overactiviteit van de sluitspier ontstaan dat ze niet goed meer opengaat bij het plassen en bijgevolg de uitstroom van urine gaat belemmeren.
Sommige meisjes gaan zelfs extra noodremmen inbouwen, zoals de hielzit (fig. 20). Hierbij gaan ze hurken met de hiel tegen hun plasgaatje gedrukt, om op deze manier de urinebuis dicht te drukken. Andere soortgelijke manoeuvres bestaan eruit om met het plasgaatje op de rand van een stoel te gaan zitten om zo met de stoel de urinebuis dicht te drukken (fig. 21). Meisjes die deze manoeuvres uitvoeren, zullen vaak ook natte broekjes hebben omdat ze soms te laat komen met hun noodremmen. Zonder twijfel hebben deze meisjes een ernstige blaasstoornis.
Bij bezenuwingsstoornissen van de blaas kan men meestal de sluitspier niet sturen. Als deze patiënten geen extra voorzorgen nemen, zoals het ledigen van de blaas door sondering, zullen ze urineverlies hebben.

Figuur 20

Onbelemmerde blaaslediging is mogelijk

De meest voorkomende oorzaak van spierverdikking en instabiliteit van de blaas is de afvoerbelemmering of infravesicale obstructie. Ook hier vinden we structurele organische oorzaken, neurogene organische oorzaken en afvoerbelemmeringen door functiestoornissen van de blaas.
De structurele organische oorzaken zijn zeer zeldzaam bij meisjes, maar tamelijk frequent bij jongens. Ze kunnen aangeboren zijn, zoals dat met urethrakleppen het geval is. Hierbij bevinden zich diep in de urinebuis (urethra) vliesvormige structuurtjes die de uitstroom van urine belemmeren. Problemen met urethrakleppen komen voor in verschillende gradaties, waarbij de ergste vormen ook met ernstige

Figuur 21

nierbeschadiging gepaard gaan. Bij mildere vormen kan bedplassen de enige klacht zijn.
Organische oorzaken kunnen ook verworven zijn, bijvoorbeeld door verwonding. Zo kan een val op de urinebuis of een vroegere sondering waarbij de urinebuis werd beschadigd, een urethravernauwing of urethrastrictuur veroorzaken.

Bij de neurogene organische oorzaken zien we meestal een gestoorde coördinatie tussen de werking van de sluitspier en de samentrekking van de blaas. We spreken van detrusor/sfincter- dyssynergie. Waar normaal gesproken de blaashals en de sluitspier tijdens de blaaslediging openstaan, zien we hier dat ze zich afsluiten bij elke blaascontractie. De oorzaak ligt bij een bezenuwingsstoornis waardoor de controle vanuit de coördinatiecentra in ruggenmerg en hersenen niet adequaat gebeurt. Een voorbeeld hiervan is de dwarslaesie waarbij door een ongeval het ruggenmerg doorsneden is.
Een dergelijke slechte coördinatie tussen sluitspier en blaasspier kan ook voorkomen zonder stoornissen in de bezenuwing. We spreken hier van functionele stoornissen. Vaak zien we dit bij meisjes die een te sterk geoefende sluitspier hebben en daardoor niet meer in staat zijn de sluitspier willekeurig te ontspannen. Dit kan aanleiding geven tot urineweginfecties doordat de urinestroom woelig wordt en in zijn turbulentie kiemen vanuit de urinebuis, waar ze steeds aanwezig zijn, naar de blaas kan laten spoelen. Deze afwijking kan bijvoorbeeld ontstaan bij een kind bij wie de blaasfunctie trager volgroeit. De omgeving stelt echter eisen aan het kind en wenst dat het snel controle krijgt over de blaasfunctie, en dus zindelijk wordt. Droog is immers praktisch. Een kind zal dan ook zijn uiterste best doen om mama en papa te plezieren, en zal zo goed mogelijk proberen droog te blijven ondanks het feit dat de blaas er niet klaar voor is. De blaas, die nog steeds als een automaat werkt, zal meerdere keren per dag gaan samentrekken zonder dat het kind wil plassen. Het kind zal de sluitspier maximaal aanspannen om droog te blijven. Deze powertraining zorgt voor een overontwikkeling van de sluitspier die niet meer goed ontspant tijdens het plassen. Hierdoor gaat de blaas plassen tegen een gesloten sluitspier in, en dus ook overtraind raken. Daardoor wordt ze meer geprikkeld zodat ze vaker onwillekeurig zal samentrekken, waardoor de sluitspier nog meer overtraind raakt.
Binnen deze overtrainde blaas zullen zich trouwens zeer hoge drukken gaan ontwikkelen, waardoor de urine terugvloeit naar de nier. Gewoonlijk zijn de urineleiders beveiligd door een klepje zodat de urine niet kan terugvloeien. Bij zeer hoge druk echter wordt dit klepje geforceerd en zien we dat de urine terug gaat lopen. Dit fenomeen noemt men reflux. Deze reflux is gevaarlijk voor de nier. Enerzijds ontstaat druk op de nierfilters die daardoor beschadigd raken, en anderzijds kunnen bacteriën vanuit de blaas opstijgen naar de nier en zo een nierontsteking veroorzaken. Zo'n nierontsteking maakt je niet alleen erg ziek, maar beschadigt ook de nier. In ernstige gevallen moet er zelfs een operatie opvolgen om het klepje dat de nier beschermt, te herstellen.

Oorzaken van bedplassen en de medicamenteuze behandelingsmogelijkheden

Op basis van de kennis die we hierboven hebben opgedaan omtrent de normale blaasfunctie en haar stoornissen, kunnen we nu beter de oorzaken van het bedplassen begrijpen.
Bij bedplassen onderscheiden we 4 types, elk met hun eigen behandelingswijze. Deze types worden genoemd naar de oorzaken.

Type 1: Verhoogde nachtelijke urineproductie

Zoals hierboven aangegeven, verwerven we in ons jonge leven een thermostaat die ervoor zorgt dat de nachtelijke urineproductie afneemt. Als deze thermostaat niet wordt ingesteld, wordt 's nachts evenveel vocht aangemaakt als overdag. Als men in 24 uur tijd 1200 ml urine produceert, dan zal ongeveer de helft hier van, dus 600 ml, tijdens de nacht worden aangemaakt. De normale blaas kan ongeveer 300 ml urine opslaan. Deze 600 ml kunnen dus niet in de blaas worden verzameld, en bijgevolg zal men, als men niet opstaat, in zijn bed plassen. Waarom zouden we trouwens opstaan? Vanaf onze geboorte hebben we de gewoonte om tijdens de slaap te plassen. Als we dit niet afleren, zal onze blaas zich ledigen zodra ze vol is.
Het hormoon dat deze waterhuishouding regelt, is echter wel (op doktersrecept) beschikbaar als medicijn. Het wordt op de markt gebracht onder de vorm van een neusspray (Minirin®, DDAVP – Desamino-8-D-Arginine-Vasopressine). Deze neusspray vormt dus de ideale behandeling voor kinderen bij wie het bedplassen veroorzaakt wordt door een stoornis in de waterhuishouding. (Voor België is er wel het nadeel dat dit medicijn niet wordt vergoed en zeer duur is.)

Type 2: Blaasfunctiestoornissen

Functionele blaasstoornissen kunnen bedplassen veroorzaken. Meestal resulteren deze blaasfunctiestoornissen in een te kleine blaascapaciteit. Hierbij zal zelfs een normale urineproductie tijdens de nacht niet in de blaas opgeslagen kunnen worden, met als gevolg dat er urineverlies optreedt. Het betreft hier vaak complexe blaasfunctiestoornissen waarbij uitgebreid urodynamisch onderzoek noodzakelijk is.
De eenvoudigste blaasfunctiestoornis is die waarbij de blaas haar automatische functie van de pasgeborene niet is kwijtgeraakt. Dit betekent dat de blaas zeer regelmatig samentrekt zonder dat men ze wil ledigen. Overdag kan men urineverlies tegengaan door de sluitspier willekeurig te spannen, tijdens de nacht echter zal urinelozing voorkomen. Bij complexere stoornissen zien we dat ook de blaaslediging is verstoord doordat de sluitspier te sterk ontwikkeld is. Hierdoor zal de

blaasspier meer arbeid moeten verrichten, waardoor zij weer vaker onwillekeurig zal samentrekken.
Ook bij kleine afwijkingen, zoals minimale urethrakleppen bij jongens of kleine afwijkingen van het plasgaatje bij meisjes, kan de blaasspier zich te sterk ontwikkelen zodat zij krampachtig wordt.
Voor de behandeling van deze blaasstoornissen zijn vele blaasspierremmende medicijnen beschikbaar. Ze vormen echter nooit een alleenstaande behandeling, maar passen in een volledige behandelingsstrategie. Deze medicijnen onderdrukken de blaaskrampen zodat de blaas zich verder kan vullen en bijgevolg groter wordt.
Het nadeel van deze medicijnen is dat ze vervelende bijwerkingen kunnen hebben. Naast het veroorzaken van een droge mond, constipatie en het rood aanlopen bij inspanning, is vooral de negatieve beïnvloeding van het karakter (wat echter niet frequent voorkomt) de belangrijkste bijwerking. Het bekendste medicijn van deze groep is Ditropan®, Dridase® of oxybutynine.

Type 3: Psychogene oorzaken

Hoewel de fabel nog steeds bestaat dat bedplassen een psychisch fenomeen is, moeten we zeggen dat dit eerder uitzonderlijk is. Ernstige psychische, psychiatrische stoornissen bij kinderen kunnen inderdaad bedplassen veroorzaken. Dit is echter slechts het geval bij minder dan 1 % van de kinderen bij wie bedplassen voorkomt. Gespecialiseerde psychiatrische behandeling is hier aangewezen.

Type 4: Eenvoudig bedplassen of het cognitieve type

Dit is het frequentste type van bedplassen en ook het eenvoudigst te behandelen type. Hierbij is er geen stoornis in de blaasfunctie of in de waterhuishouding. Het enige wat is misgegaan, is dat de vaardigheid om niet te plassen tijdens de slaap, niet is verworven. Net zoals leren spreken, leren lopen en andere vaardigheden, is ook droog blijven 's nachts een vaardigheid die verworven moet worden. Sommige kinderen verwerven deze vaardigheid niet en blijven in hun bed plassen.
Bij deze vorm van bedplassen biedt de plaswekker een uitstekende mogelijkheid tot behandeling. Dit wordt hierna uitgebreid besproken.

Oorzaken van broekplassen

Vooral bij kinderen met blaasfunctiestoornissen zien we vaak het probleem van het broekplassen. Er bestaat nog veel misvatting over wat normaal is en wat niet normaal. Veel ouders staan er niet bij stil als het ondergoed van hun kinderen een urinevlekje vertoont. Zo uit zich

echter meestal een achterliggende blaasstoornis. Een kind dat zindelijk is, heeft helemaal geen urineverlies, dus ook niet een klein vlekje. Meestal ontstaat broekplassen door het optreden van krampen in de blaas. Doordat de blaas plotseling onwillekeurig gaat samentrekken, worden de kinderen verrast in hun spel en zijn ze meestal te laat om hun sluitspier te spannen, wat resulteert in een kleine hoeveelheid urineverlies. Deze kinderen zullen ook vaker gaan plassen en regelmatig naar het toilet rennen. De meeste ouders denken dat hun kinderen te lang gewacht hebben om te plassen. Dit is echter niet juist, de kinderen worden veel te vroeg overvallen door een blaaskramp. Bij deze blaasstoornis moeten ook blaasspierremmende medicijnen en blaastraining worden gegeven.
Bij de eenvoudigste vorm van deze blaasstoornissen is er enkel sprake van krampen in de blaas. Bij complexere vormen is ook de sluitspierfunctie verstoord ten gevolge van het overtraind zijn van deze spier als verdediging tegen urineverlies. De sluitspier zal niet meer volledig ontspannen tijdens het plassen en de plas wordt onderbroken. Hierdoor wordt de blaas niet geheel geledigd waardoor ze sneller vol is, en waardoor krampen eerder en vaker optreden. Op deze manier hebben kinderen een blaasstoornis die zichzelf in stand houdt en alleen met intensieve blaastrainingen kan genezen worden.
Een andere vorm van blaasfunctiestoornis waarbij broekplassen voorkomt, is het geval van de 'luie blaas'. Een luie blaas is een blaas die een te grote capaciteit heeft. Meestal is zo'n luie blaas het gevolg van het te lang ophouden van urine. Dit is typisch bij kinderen die een afkeer hebben van de schooltoiletten en daardoor de hele schooldag hun plas ophouden. Hierdoor zal de blaasspier zich overrekken. Het gevolg hiervan is dat de spiervezels uit elkaar worden getrokken en niet meer op elkaar kunnen ingrijpen bij de samentrekking, zodat een veel te zwakke samentrekking ontstaat. Vaak gaan de kinderen extra persen bij het plassen om de blaasspier te helpen bij het ledigen. Dit persen doet echter de sluitspier dichtgaan zodat het plassen nog moeilijker wordt of onvolledig gebeurt. Dit onvolledig ledigen verhoogt dan weer het risico op een blaasontsteking.
Het is duidelijk dat broekplassen steeds de uiting is van een ernstige achterliggende stoornis waarbij nader specialistisch onderzoek is aangewezen.

Besluit

Problemen met de continentie voor urine zullen vaak worden veroorzaakt door problemen bij de normale werking van de blaas. De blaas werkt normaal volgens een tweefasenconcept waarbij een lange vul-

lingsfase steeds wordt afgewisseld met een korte ledigingsfase. Urineverlies is dan ook vaak het gevolg van een stoornis in de vullingsfase en/of de ledigingsfase. Een nauwkeurige beschrijving van de stoornis is noodzakelijk om een behandeling te kunnen uitvoeren. Bij kinderen met problemen van urineverlies moeten we steeds bedacht zijn op deze stoornissen.
Als voorbeeld wil ik het verhaal van een 9-jarig meisje aanhalen dat sinds enkele jaren werd behandeld door een psychiater voor urineverlies, zowel overdag als 's nachts. Men dacht immers dat het om een psychisch probleem ging. Maar wat men ook probeerde, hoe men ook beloonde of strafte, het urineverlies bleef bestaan.
Toen we het meisje voor het eerst zagen, viel het ons onmiddellijk op dat ze een ernstige voetafwijking had. Deze afwijking bleek veroorzaakt door een bezenuwingsstoornis van de spieren van de voeten. Alle zenuwen die in het lage ruggenmerg ontstonden, waren fout aangelegd, en dit was dan meteen ook de verklaring voor het urineverlies. Het meisje is pas zindelijk geworden na een operatie aan de sluitspier en nadat ze zichzelf 4 keer per dag begon te sonderen. Een grondige ondervraging en een degelijk onderzoek hadden dit meisje 2 jaar zinloze psychotherapie kunnen besparen.

Interessante literatuur

* M.A.W. Vijverberg, A.E. Elzinga-Plomp, T.P.V.M. de Jong, 'Als zindelijk worden niet vanzelf gaat...', Kosmos Z&K Uitgevers, Utrecht/Antwerpen, 1993.

5 Is de blaas de ziel van het lichaam?

Marleen Theunis en Eline Van Hoecke, kinderpsychologen

Inleiding

In de volksmond bestaan er heel wat gezegden die de blaas als de ziel van het lichaam beschouwen, denk maar aan 'het is op mijn blaas geslagen', 'kou op de blaas' en 'ik voel het aan mijn water'. Velen zijn van mening dat natte broeken en bedden bij kinderen te herleiden zouden zijn tot psychische en opvoedkundige problemen. Maar is enuresis/incontinentie inderdaad de spiegel van wat misgaat bij het kind? Een antwoord op deze vraag is niet eenvoudig.
Bij de eerste consultaties in verband met problemen van enuresis/incontinentie valt steeds een aantal vooroordelen bij de ouders en de omgeving op: 'Sofie is zo gevoelig, ze is zo snel uit het lood geslagen en ze kan zich ook zo moeilijk uiten als haar iets dwars zit', 'Pieter is zo onzeker, hij heeft ook problemen op school die hij heel moeilijk kan verwerken', 'Onze Ferre heeft de breuk met mijn ouders nooit kunnen verwerken, zijn plasproblemen zijn sindsdien veel verergerd', 'Mario is vreselijk jaloers op zijn zus, hij vindt dat zijn zus onze lieveling is, hij probeert ons te treffen door steeds in zijn bed te plassen', 'Kees weet dat hij mij treft als hij een natte broek heeft, maar hij doet geen enkele moeite om zijn probleem op te lossen; hij is zo verschrikkelijk nonchalant, en dat niet alleen wat zijn plasprobleem betreft, ook op school is het net alsof het hem allemaal niet kan schelen; hij is gewoon lui, ik kan er mij zo verschrikkelijk boos om maken'.
Op de laatste, afsluitende consultaties horen we vaak: 'Jan is veel opener en assertiever geworden, hij laat zich niet meer zo gemakkelijk door zijn zus op zijn kop zitten, hij heeft meer zelfvertrouwen gekregen', of: 'Het was echt een vervelende tijd toen ik nog in bed plaste; elke avond hoopte ik dat het niet zou gebeuren, maar steeds weer was ik nat; gelukkig heeft de behandeling geholpen en ben ik nu droog, ik moet er niet aan denken dat ik nog in mijn bed zou plassen'.

Is de blaas dan toch de ziel van het lichaam? Emoties spelen zeker een rol, ieder kent het gevoel extra te moeten gaan plassen voor een examen of een andere spannende gebeurtenis, maar vormen deze emoties de oorzaak van de plasproblemen bij kinderen? Onze ervaring leert dat emotionele problemen vaak het gevolg zijn van plasproblemen. Heel wat kinderen vinden het afschuwelijk dat ze nog in bed of in hun broek plassen. En niet alleen de kinderen lijden onder de plasproblemen, ook de ouders ervaren het nog niet zindelijk zijn als zeer belastend, en krijgen schuldgevoelens of schamen zich voor het probleem van hun kind. Heel vaak is een uitlokkende situatie nodig om het probleem bespreekbaar te maken. Pas als een ander erover begint, zij het rechtstreeks of naar aanleiding van bijvoorbeeld een televisie-uitzending, wordt het gemakkelijker om over de eigen problemen te praten.

Organisch of psychisch probleem?

Al naargelang de deskundige die kinderen met plasproblemen en hun ouders raadplegen, zal de verklaring en de aanpak van het probleem verschillen. Lange tijd werden en vaak worden plasproblemen nog altijd of medisch of psychologisch behandeld. Onze ervaring toont dat plasproblemen meestal uit een combinatie bestaan van psychische en organische componenten. Secundaire verdedigingsmechanismen verklaren de wederzijdse interacties van de beide soorten componenten.
De visie van heel wat psychologen is dat kinderen die op latere leeftijd nog bed- of broekplassen zijn, niet geleerd hebben om zindelijk te zijn. Ze hebben niet geleerd bepaalde reflexen te beheersen of tijdig wakker te worden. Het gewaarworden van urine in de blaas en het in staat zijn om de urine op te houden en zelf het tijdstip en de plaats van lozing te bepalen, is iets wat geleerd moet worden. Dit leerproces is meestal een spontaan proces. Vele factoren, zowel lichamelijke als psychische, kunnen het zindelijk worden beïnvloeden en verstoren.

Secundaire mechanismen

Wat betreft de organische secundaire mechanismen willen we benadrukken dat een plasprobleem het plasgedrag – bijvoorbeeld de wijze van ledigen of het reageren op aandrang – beïnvloedt. Een verkeerd plasgedrag kan op zijn beurt een lichamelijk probleem instandhouden of veroorzaken.
Wat betreft de meer psychologische secundaire mechanismen zijn de hiernavolgende de meest relevante, zowel voor het instandhouden van het probleem als voor het behandelingsproces zelf:

Met betrekking tot het plassen zelf

Verkeerd plasgedrag

Zindelijkheidsproblemen leiden vaak tot kritische opmerkingen vanuit de omgeving. De moeder verwijt haar dochter dat ze te lang wacht om te plassen, en dat ze geen moeite doet om op tijd naar het toilet te gaan. Vaak versterkt ze hierdoor het probleem: ze stuurt het kind naar

het toilet waar het urine probeert te produceren zonder aandrang, bijvoorbeeld door te persen.
Zo zal een kind om ongelukjes te vermijden, een verhoogde bekkenbodemtonus ontwikkelen en eerder persend gaan plassen. Een ander kind zal leren de plas zolang mogelijk op te houden en daardoor een te grote blaas en een verminderd urogenitaal gevoel ontwikkelen. De reactie op aandrang is niet adequaat.

Ontkenning

De meeste kinderen met plasproblemen praten heel moeilijk over hun niet zindelijk zijn. Zij hebben geleerd vermijdingsgedrag te vertonen, te doen alsof hun probleem niet bestaat. Wij noemen deze kinderen de ontwijkers. Tijdens de eerste gesprekken van een behandeling zitten zij er vaak ongeïnteresseerd bij, tot grote ergernis van de ouders. Bovendien is het meestal de ouder die met de hulpvraag bij ons komt, en niet het kind. Dit betekent geenszins dat het kind het niet moeilijk heeft met zijn plasprobleem, integendeel, maar dit is vaak de enige manier waarop het met zijn probleem heeft leren omgaan. In je broek of bed plassen doe je immers toch niet, dat doen alleen kleine kinderen, en zeker niet zulke grote kinderen als zij.
Zij hebben tevens de ervaring dat andere kinderen hun lotgenoten uitlachen en plagen. Studies hebben aangetoond dat het voor kinderen gemakkelijker is om te praten over een logopedische of een motorische handicap, dan over plasproblemen. Deze andere problemen kunnen immers op meer begrip rekenen.

Verminderde gevoeligheid

Door het inadequaat omgaan met de plasproblemen is de gevoeligheid voor de toestand van de blaas afgenomen en verstoord. Het kind reageert niet normaal, het zal bijvoorbeeld het plassen te lang uitstellen, of het zal urine verliezen zonder het te weten.

Gestoord lichaamsbeeld

Kinderen gaan in die omstandigheden ook doen alsof dat gedeelte van hun lichaam, de regio van de blaas, niet bestaat. Zij weten niet waar hun blaas en nieren liggen, zij weten niet waarvoor deze organen dienen, of hoe ze werken.

Met betrekking tot het zelfbeeld van het kind en de omgeving

Laag zelfbeeld

Moeten ontkennen leidt eveneens tot een gevoel van falen, van mislukt zijn. Kinderen met plasproblemen kunnen niet wat hun meeste leeftijdsgenoten wel kunnen. Kinderen die nog in hun bed of broek

plassen, zorgen voor extra was, maken soms natte vlekken op de meubels of krijgen te horen dat ze vies ruiken.
Dit alles valt bovendien meer op door de hogere sociale eisen die de laatste jaren aan schoolgaande kinderen worden gesteld. Reeds vanaf de derde kleuterklas gaan kinderen op bos of zeeklassen. Het bij elkaar gaan logeren is ook steeds meer gebruikelijk, en de huidige leefwijze duldt geen vieze broeken of bedden.
Bovendien zorgt de vaak onderschatte complexiteit van het probleem ervoor dat de aanpak eerder bestaat uit een uitproberen van verschillende behandelingen, dan dat het een gestructureerde, aan het probleem aangepaste aanpak is. Kinderen hebben op zijn minst drie therapieën doorlopen voordat zij op onze afdeling terechtkomen. Het gevoel mislukt te zijn neemt toe, niet alleen bij het kind maar ook bij de ouders.
In een onderzoek dat 30 kinderen betrof vonden we een duidelijke correlatie tussen het zelfbeeld en het aantal mislukte therapieën dat een kind reeds had ondergaan. Hoe meer van deze therapieën het kind had gekregen, hoe lager het zelfbeeld was. Het telkens weer falen, ook wanneer de kinderen hun best doen, leidt tot gevoelens van hulpeloosheid en minderwaardigheid. Het is dus essentieel ervoor te zorgen dat de kans op een mislukken van de behandeling minimaal is!

Stressreacties

Steeds weer nat zijn, steeds weer reacties van de naaste omgeving krijgen, steeds weer bang zijn dat anderen het zullen zien of te weten zullen komen, steeds weer moeten doen alsof het probleem niet bestaat... Niet zindelijk zijn leidt tot heel wat stress, niet alleen bij het kind maar ook bij de ouders: telkens weer die natte bedden of natte broeken...

Gedragsproblemen

Het is dan ook niet te verwonderen dat deze kinderen gedragingen uit angst, woede, onverschilligheid of schaamte gaan vertonen. Zij beginnen te liegen, of onderbroekjes te verstoppen, en sommige kinderen proberen zelfs de aandacht te verschuiven door kleine criminele daden te plegen, zoals winkeldiefstallen en dergelijke. Veel ouders van kinderen met plasproblemen vinden hun kind een moeilijk kind: ofwel is het te gesloten of te veel in zichzelf gekeerd, ofwel vertoont het een gedrag dat niet te tolereren is.
Kinderen met het specifieke aandrangsyndroom en met drangincontinentie raken vaak in conflict met zichzelf. Volgens anderen gaan zij niet op tijd of niet vaak genoeg naar het toilet, terwijl zijzelf merken dat zij veel vaker dan andere kinderen hoognodig naar het toilet moe-

ten. Als de moeder de symptomen herkent omdat ze de vergelijking kan maken met bijvoorbeeld een zelf ervaren blaasontsteking, dan krijgt zij meestal meer begrip voor de moeilijkheden van haar kind. Zonder dit begrip is er veel kans dat de moeder-kindrelatie onder dit probleem lijdt. Dit uit zich dan in nieuwe problemen: het kind gaat dwarsliggen, wordt koppig of agressief, of juist heel stil en teruggetrokken, depressief of apathisch.
Deze secundaire gedragsproblemen kunnen zo op de voorgrond treden dat het onderscheid tussen het aandrangsyndroom en de gedragsproblemen vervaagt.

Relatieproblemen

- Ouder-kindrelatie: het niet zindelijk zijn krijgt meer en meer een centrale plaats in de relatie. De ouder heeft ambivalente gevoelens tegenover zijn/haar kind. Enerzijds leeft hij/zij mee met het kind en wil hij/zij het kind helpen en beschermen, anderzijds is hij/zij ontgoocheld in zijn kind en gaat hij/zij gebukt onder schuld en schaamtegevoelens. Dit alles geeft aanleiding tot conflicten, woedeuitbarstingen en irritaties.
- Vader-moederrelatie: ook in de relatie tussen de ouders kunnen conflicten ontstaan, zij kunnen een verschillende houding tegenover het probleem en tegenover hun kind aannemen. Zo kan bijvoorbeeld de moeder eerder verzoenend en beschermend optreden en zal zij uit alle macht proberen iets aan het probleem te doen, terwijl de vader eerder kordaat kan reageren omdat hij vindt dat zijn kind nu al voldoende aandacht heeft gekregen. Het probleem zal zich wel vanzelf oplossen...
- Sociale relaties: kinderen met plasproblemen willen niet dat andere kinderen weten dat zij nog in hun bed of broek plassen. Dit vormt een belemmering voor bepaalde sociale activiteiten, zoals schooluitjes, sportkampen, gaan slapen bij vriendjes... En dat kan de positie van het kind in de groep negatief beïnvloeden, en zelfs tot een sociaal isolement leiden.

Multidisciplinaire screening

Natte broeken en natte bedden zijn symptomen waarbij verschillende factoren een rol spelen. Niet alle kinderen met plasproblemen zijn onder één noemer te brengen. Een grondig en multidisciplinair onderzoek is nodig en van doorslaggevende betekenis voor een adequate diagnose en een behandeling op maat.
Samen met het medisch onderzoek vindt een psychologisch onderzoek plaats. Het psychologische onderzoek is van belang omdat hierbij, via een afzonderlijk gesprek met de ouders en daarna met het

kind, de hoofd- en bijproblemen van elkaar worden onderscheiden. Is het plasprobleem een symptoom dat dient om andere problemen zoals minderwaardigheidsgevoelens, faalangst, stoornis in de moederkindrelatie te verhullen, of zijn deze problemen juist ontstaan door de enuresis/incontinentie?
De secundaire gedragsproblemen bij deze kinderen zijn soms zo intens en omvangrijk dat er nog vaak onterecht een psychogene oorzaak voor de problemen wordt aangenomen.

Het onderzoek is gericht op vier aspecten:
1. De klacht: er worden vragen gesteld specifiek gericht op de gedragingen die verband houden met de regulatie van de lozing.
- Hoeveel keren plast het kind op een dag?
- Hoeveel glazen drinkt het kind per dag en wanneer?
- Kan het kind een lange autorit maken zonder tussentijds te moeten stoppen om te plassen?
- Heeft het kind 's nachts behoefte om te drinken?

2. De ontwikkelingsgeschiedenis van de klacht: een gedetailleerde ontwikkelingsgeschiedenis is onontbeerlijk, niet alleen betreffende de verschillende stappen in de ontwikkeling van het kind, maar ook omtrent de plasgewoonten, de reacties op aandrang en de aandrang zelf, omtrent hoe de toilettraining verliep en hoe de ouders het kind zindelijk leerden worden, en tevens aangaande de verschillende stappen die ouders en kind reeds ondernamen om het plasprobleem op te lossen.

3. Aanvullende informatie: er wordt navraag gedaan naar de gezinsrelaties en naar potentiële stressfactoren zoals de geboorte van een broertje of zusje, een verhuizing, een echtscheiding, schoolproblemen...
De ouders beschrijven hun kind, zij verschaffen gegevens over hoe hun kind omgaat met vriendjes, hoe het zijn huiswerk organiseert, hoe het zich voelt op school, hoe het kind zich thuis gedraagt.
In vele gevallen van klassieke enuresis diurna zien we gedragsproblemen gelijkend op die van ADD-H kinderen (Attention Deficit Disorder-Hyperactivity, in de volksmond de 'hyperactieve' kinderen genoemd). De kinderen hebben een verminderde concentratie en een geringe impulscontrole. Hun gedrag is structuurloos en chaotisch. De plasproblemen kunnen hiermee verband houden, het zindelijk worden is dan een te moeilijke opgave. Bovendien hebben zij geleerd dat ze zich maar beter kunnen afsluiten voor moeilijkheden, waardoor zij vermijdingsgedrag gaan vertonen.

4. De houding van het kind ten opzichte van zijn plasprobleem: ten slotte is het zeker belangrijk om aan de hand van het psychologisch onderzoek te weten te komen hoe het kind tegenover zijn plasprobleem staat, en wat zijn motivatie is om er iets aan te doen.
Zo zullen kinderen met enuresis overdag, zoals reeds eerder vermeld, leren leven met hun probleem door het te negeren, of door bepaalde situaties te vermijden, of door hun natte broeken weg te stoppen. Kinderen met een verkeerd plasgedrag zullen eerder hulpmanoeuvres uitvoeren. Kinderen met het aandrangsyndroom gaan de aandrang tot urinelozing intomen door druk op de urethra uit te oefenen. Dit kan zowel door het spannen van de bekkenbodemspieren als door het dichtdrukken van de urethra van buitenaf, zoals door het samenspannen van de billen of via de hielzit.
Een adequaat onderzoek verschaft gegevens die van nut zijn bij het motiveren van kinderen met plasproblemen om tot een therapie over te gaan. Het onderzoek geeft een totaalbeeld van de leefwereld van het kind en van de wijze waarop het nu met zijn probleem omgaat.

Motivatie: de onmisbare schakel op weg naar succes

Inzicht in de klacht

Inzicht in de relatie tussen het gedrag en het organische functioneren tijdens de vullings- en ledigingsfase verhoogt de motivatie en is essentieel voor de behandeling: het kind kan een meer adequaat gedrag vertonen. Dit inzicht stimuleren we bij het kind en zijn ouders door een begrijpelijke verklaring voor het plasprobleem te bieden, en door klachtgerichte registratieopdrachten.

Begrijpelijke verklaring

Zo stellen we de nieren voor als filters en de blaas als een ballon. De verbindingen tussen de blaas en de hersenen zijn dan telefoonlijnen waarlangs boodschappen worden verzonden.

Registratieopdrachten

Samen met het kind bepalen we welke nuttige gegevens omtrent het plasgedrag en -probleem het zal bijhouden, en hoe dat moet gebeuren. Ook de ouders krijgen, waar dat wenselijk is, registratieopdrachten mee.

Motiverende zaken

Enerzijds vragen we de kinderen om redenen op te sommen waarom het leuk zou zijn als zij niet meer in hun bed of broek zouden plassen. Anderzijds vragen wij hen om een lijst op te stellen van dingen die ze prettig vinden om te krijgen of om te doen.

Een doel vooropstellen
Samen met de kinderen spreken we af wat we wanneer willen bereiken. Hierbij starten we het proces van de zelfregulatie: het kind leert zichzelf te beoordelen. Bovendien geeft het feit dat we een doel vooropstellen hoop, we zien een oplossing.

De leefwereld van het kind
Willen we kinderen motiveren om actief mee te werken tijdens de behandeling, dan moet deze aansluiten bij de leefwereld van het kind.

Ondersteunen
Dikwijls hebben de ouders en het kind reeds heel wat geprobeerd: medicatie, belonen en straffen, homeopathie, plaswekker... Toch lukte het niet om zindelijk te worden. Zowel het kind als zijn ouders raken steeds meer ontgoocheld en verliezen het geloof in welke vorm van behandeling ook. De hiernavolgende ondersteunende handelingen zullen de motivatie opnieuw aanwakkeren.

Deskundigheid tonen
Weten wat het probleem inhoudt, hoe lastig het is voor het kind en zijn ouders als het kind steeds weer nat is, concreet uitleggen wat de mogelijke technieken zijn die gebruikt worden bij de behandeling, een termijn vastleggen.

Positieve veranderingen in het vooruitzicht stellen
Een optimistische visie poneren: 'Andere kinderen zijn erin geslaagd, dus zal het bij jou ook wel lukken.'

Aantrekkelijk maken van de behandeling
Verwijzen naar de leefwereld van het kind, naar het eventueel werken met andere kinderen die met een gelijksoortig probleem kampen.

Wanneer het kind en zijn ouders eenmaal gemotiveerd zijn, kunnen we van start gaan met het uitvoeren van een multidisciplinaire behandeling op maat.

Waarom behandelen?

Soms vragen mensen zich af of zo'n behandeling wel nodig is, want sommige kinderen worden toch vanzelf zindelijk. Dit alles is waar, plasproblemen gaan in vele gevallen vanzelf over, maar dat is lang niet altijd zo. Vroeger had men deze trainingen niet, maar toen werden er minder hoge eisen gesteld wat het sociaal functioneren van kinderen aangaat. Momenteel gaan vele scholen een week op schoolkamp, wat een groot probleem vormt voor kinderen met plasproblemen. Ook uit logeren gaan of een sportkamp volgen is voor deze kinderen praktisch onmogelijk. Bovendien gaan het kind en zijn ouders zo onder het probleem lijden dat een behandeling het verergeren van de secundaire problemen kan voorkomen.

Conclusie

Plasproblemen bij kinderen hebben een psychisch én een lichamelijk aspect. Een multidisciplinaire aanpak is noodzakelijk om de psychische en de lichamelijke problematiek met elkaar te integreren. Een dergelijke aanpak is aangepast aan elk kind en de kans op een mislukking is minimaal. Een gunstig resultaat leidt tot een beter algemeen functioneren van het kind, en biedt een oplossing voor heel wat stress en voor andere problemen van het kind en zijn gezin. De blaas is inderdaad wel een beetje de ziel van het lichaam.

Referenties

• J. Bosch, 'Functionele incontinentiestoornissen bij kinderen: enuresis en encopresis.', in: H. Orlemans, P. Eelen, W. Haaiyman (red.), 'Handboek Gedragstherapie', C.13.6, pp. 1-45, 1988.
• R.A. Hirasing, 'Richtsnoer: Enuresis Nocturna.', Ned. Tijdschr. Geneesk., 138 (27), pp. 1360-1373, 1994.
• A.P. Messer, 'Zeer moeilijk eten en moeilijk beïnvloedbaar bedplassen.', Lisse: Swets & Zeitlinger, 1979.
• N. Van Broeck, 'Leertheorie en gedragstherapie in de behandeling van enuresis bij kinderen.', in: N. Van Broeck, J. Bosch, M. Duys & J. Vande Walle, 'Zindelijkheidsproblemen bij kinderen en jongeren.', N.F.W.O. Rijksuniversiteit Gent, pp. 18-32, 1988.
• J.W. Veerman, 'De competentieschaal voor kinderen (CBSK): een experimentele handleiding.', Duivendrecht, Paedologisch Instituut, 1989.
• H. Watanabe, A. Kawauchi, T. Kitamori en Y. Azuma, 'Treatment System for Nocturnal Enuresis according to an Original Classification System.', Pediatric Urology, 25, pp. 43-50, 1994.

6 Vuile broeken (encopresis) en constipatie bij kinderen zonder achterliggende neurologische of andere afwijkingen

Dr. Myriam Van Winkel, kindergastro-enterologe

Inleiding: over het verband tussen vuile en natte broeken

Vuile broeken (encopresis) en natte broeken (enuresis) komen vaak samen voor. Kinderen met enuresisproblemen vertonen vaak (onopgemerkte) constipatie, soms gepaard met vuile vegen in de broek (soiling) of ongewild stoelgangverlies in de broek (encopresis). Anderzijds gaan kinderen met vuile broeken niet zelden ook bedplassen, of vertonen ze natte broeken overdag. De constipatie moet in elk geval samen met het bedplassen worden aangepakt. Bij kinderen met vuile en natte broeken zal men eerst het stoelgangprobleem aanpakken en daarna het urineverlies. Vaak verbetert of verdwijnt het urineverlies reeds samen met het stoelgangverlies.
Ook bij het ontstaan van urineweginfecties kan constipatie een rol spelen. Onderzoekers hebben aangetoond dat de hoeveelheid urine die in de blaas achterbleef na het plassen, groter was dan 20 milliliter bij zo'n 10 op 29 geconstipeerde kinderen, terwijl dit bij slechts 2 op 111 controlekinderen het geval was. Het grote residu na het plassen verdween na de adequate behandeling van de constipatie.
Doordat er urine achterblijft in de blaas, kunnen bacteriën er zich in vermenigvuldigen en kan een blaasinfectie ontstaan. Wanneer de blaas bij het plassen volledig wordt geledigd, worden telkens bijna alle bacteriën verwijderd en krijgen ze geen tijd om zich te vermenigvuldigen, zodat geen infectie optreedt.
Ten slotte is constipatie een belangrijke bijwerking van blaasrelaxerende medicatie (anticholinergica).
Om bovenvermelde redenen is het belangrijk om in een werk over 'urineverlies' (= natte broeken), ook 'constipatie' en 'encopresis' (= vuile broeken) te bespreken.

Wanneer zal men aan constipatie denken?

Onregelmatige stoelgangfrequentie (minder dan 3 keer per week), harde en pijnlijke defecatie (soms dagelijks), anale kloofjes en dikke ontlasting (die soms het toilet verstopt) wijzen op constipatie. Bevuild ondergoed wordt door de moeder vaak ten onrechte geïnterpreteerd als veroorzaakt door onvoldoende gebruik van toiletpapier na defecatie. Deze vegen ontlasting in de broek (soiling) wijzen echter vaak op een te grote opeenhoping van ontlasting in de dikke darm. Minder duidelijke tekenen van constipatie zijn buikpijn, algemeen onwel zijn, prikkelbaar zijn, weinig eetlust hebben.

Oorzaken van deze 'habituele' constipatie

Het is belangrijk om te proberen te achterhalen wanneer de constipatie is begonnen. Waren de ontlastingproblemen al kort na de geboorte aanwezig, dan is het noodzakelijk om na te kijken of er niets fout is met de vorm of de bezenuwing van de dikke darm. In dit geval is de kans groter dat het niet om habituele constipatie gaat, maar om een ziekte met constipatie als complicatie.
Niet zelden beginnen de stoelgangproblemen in de periode van de zindelijkheidstraining. Wanneer kinderen leren om op te houden in plaats van naar het toilet te gaan als er aandrang is, ontstaat opeenhoping van ontlasting. Soms beginnen de problemen bij het schoolgaan, omdat het kind weigert het schooltoilet te gebruiken (omdat het er kouder is, of omdat het soms vuil of onvoldoende afgeschermd is) en het om die reden de stoelgang gaat ophouden.
Eenzijdige voeding met een overmaat aan melkproducten kan eveneens een belangrijke rol spelen bij het ontstaan van constipatie. Voldoende vezel- en vochtopname is belangrijk voor de vorming van zachte ontlasting. Vezels zijn onverteerbare stoffen uit planten die belangrijk zijn om de dikke darm normaal te laten functioneren. De vezelopname wordt vooral bepaald door de aard van de graanproducten (volkoren?), en door de opname van groenten en fruit. De voorkeur gaat naar volkorenbrood en -deegwaren, alsook naar zilvervliesrijst. Er wordt gestreefd naar een inname van 5 porties groenten en/of fruit per dag. Met een portie wordt een stuk fruit, een vierde van een komkommer, drie soeplepels gekookte groenten... bedoeld.
Veel schoolkinderen drinken te weinig. Minstens 1 liter extra vocht, en liefst 1.5 liter per dag, is het streefdoel. De vochtopname kan worden nagegaan door gedurende een willekeurige dag het aantal glazen en kopjes dat werd gedronken, op te tellen (er gaan 6 tot 7 glazen of kopjes in 1 liter). Melk en melkproducten vormen een grote calciumbron en zijn daarom belangrijk. Té veel melk (meer dan 0.5 liter per dag) leidt echter tot verminderde inname van andere vezelrijkere voedingswaren en is daarom af te raden.

Waarom treedt ongewild ontlastingverlies op?

Er zijn twee sluitspieren onderaan de dikke darm die ervoor zorgen dat de ontlasting kan worden opgehouden en niet doorlopend of zonder controle de dikke darm kan verlaten. De binnenste kringspier, ook inwendige sfincter genoemd, is de krachtigste van deze twee sluitspieren. Zij zorgt ervoor dat de darm afgesloten blijft. Het is echter een onwillekeurige spier. Dit betekent dat we er zelf geen controle op kunnen uitoefenen. De inwendige sfincter gaat automatisch openstaan wanneer er stoelgang onderaan in de dikke darm (het rectum) arriveert. Stoelgang kan dan alleen nog door de uitwendige willekeurige sluitspier worden opgehouden (fig. 22).

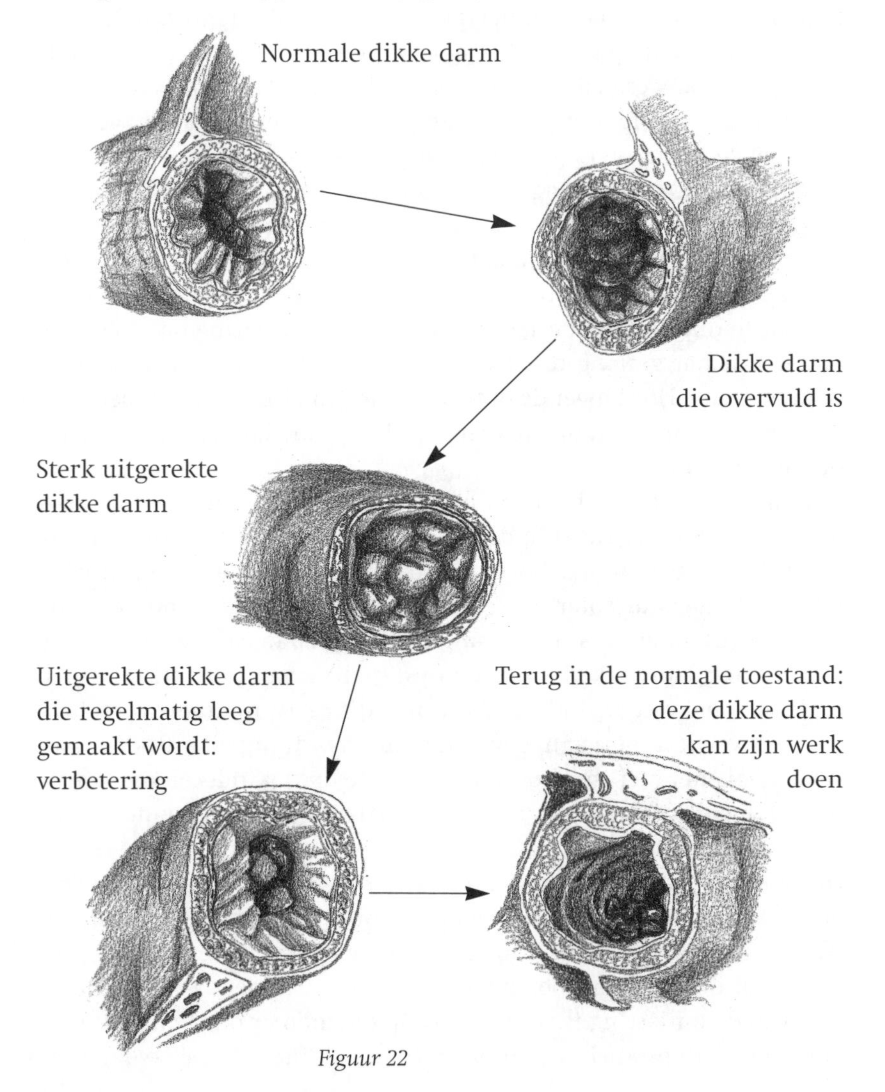

Figuur 22

Op het moment dat er stoelgang onderaan in de dikke darm aankomt, treedt er in normale omstandigheden aandrang op. Bij zuigelingen zal deze aandrang automatisch worden gevolgd door het verwijderen van de ontlasting (tenzij de baby pijn heeft gehad bij defecatie, en daarom heeft leren ophouden). Grotere kinderen en volwassenen kunnen met de uitwendige sluitspier de ontlasting ophouden tot ze bij een toilet zijn. Er volgt defecatie op het toilet, het onderste deel van de dikke darm wordt leeggemaakt, en de inwendige sluitspier sluit zich automatisch. Indien er geen toilet in de buurt is, wordt de ontlasting langer opgehouden met de uitwendige sluitspier en na een tijdje terug naar een hoger deel van de dikke darm gestuurd, zodat ook de inwendige sluitspier zich kan sluiten. De aandrang verdwijnt dan. Indien iemand zich na een half uur herinnert dat er aandrang was, en hij dan pas naar het toilet gaat, zal het hem vaak niet meer lukken om ontlasting te produceren. De uitwendige willekeurige sluitspier heeft een veel geringer uithoudingsvermogen dan de inwendige sluitspier, en kan niet zeer lang sterk gespannen blijven.
Onwillekeurig ontlastingverlies ontstaat wanneer bovenstaand mechanisme wordt verstoord als gevolg van het te lang en te veel ontlasting ophouden. Het ophouden van de ontlasting kan worden veroorzaakt door de schrik voor pijn bij defecatie (door een anaal kloofje, of door te dikke harde ontlasting), of door de weigering om naar een ander dan het gewone toilet te gaan, of door geforceerde zindelijkheidstraining. Hoe langer de ontlasting zich in de dikke darm bevindt, hoe meer vocht eraan onttrokken wordt, en hoe harder en dikker de ontlasting wordt.
Indien er een te grote opeenhoping van ontlasting in de dikke darm is, kan de ontlasting die onderaan in de dikke darm is gearriveerd, niet terug naar boven worden gestuurd (het zit er al vol). De inwendige sluitspier blijft dus openstaan. De uitwendige sluitspier wordt moe en verliest aan sterkte, zodat zachte ontlasting naar buiten kan lekken. Door de opstapeling van ontlasting in het onderste deel van de dikke darm wordt dit rectum uitgerekt en breder, en verliest het aan gevoeligheid. Aandrang wordt dan pas gevoeld als het rectum al overvol is (dus té laat). Kinderen met encopresis en soiling verliezen ongewild ontlasting, ze voelen deze niet meer op tijd aankomen.
Opstapeling van ontlasting kan, zoals hierboven aangehaald, optreden door herhaaldelijk de ontlasting op te houden, maar ook door onvolledig te defeceren. Wanneer men de nodige tijd niet neemt op het toilet, wordt de defecatie voortijdig afgebroken, wanneer nog maar een deel van de ontlasting is verwijderd. Op die manier ontstaat er steeds opnieuw een opstapeling van ontlasting, ook indien er elke dag ont-

lasting is. Het is belangrijk dat kinderen leren om tijd te maken voor het toilet. Niet voor niets spreekt men in West-Vlaanderen en Zuid-Nederland over 'het gemak'.

Wat onderzoekt de dokter bij constipatie en/of vuile broeken?

Door de buik te bevoelen, kan harde ontlasting worden opgespoord. Een rectaal toucher (voelen met de vinger in de anus) is vervelend, maar leert of er ontlasting tot onder in de dikke darm (tot in de ampulla van het rectum) aanwezig is, en of deze ontlasting hard is. Indien er pas ontlasting is geweest en de ampulla is leeg, dan sluit dit niet uit dat er hogerop toch een opstapeling van ontlasting aanwezig is. Is de ampulla daarentegen nog gevuld direct na defecatie, dan wijst dit op een onvolledige verwijdering van ontlasting uit het onderste deel van de dikke darm bij defecatie, en op een verkeerde techniek. De bekkenbodem wordt tijdens de defecatie gespannen in plaats van ontspannen, zodat er geen volledige verwijdering van ontlasting uit het onderste deel van de dikke darm kan optreden. Deze paradoxale contractie van de bekkenbodem tijdens het persen wordt vaak onbewust aangeleerd als reactie op pijn bij defecatie.
Inspectie van het onderste deel van de rug en neurologisch onderzoek van de onderste ledematen maken het mogelijk om (zeldzame) neurologische oorzaken van constipatie op te sporen.

Technische onderzoeken

In de meeste gevallen volstaan anamnese en klinisch onderzoek om de diagnose van habituele constipatie te stellen, en is verder onderzoek overbodig.
Een röntgenfoto-overzicht van de buikholte kan de aanwezigheid van veel ontlasting al dan niet bevestigen indien hierover twijfel bestaat bij het klinisch onderzoek.
Soms is een recto-anale drukmeting (fig. 23) nuttig. Dit onderzoek gebeurt na het leegmaken van het rectum met een lavement. Er wordt een sonde met opblaasbare ballon via de aars tot in het rectum gebracht. De druk wordt op verschillende punten (ter hoogte van de binnenste en buitenste sluitspier, in het rectum zelf) tegelijkertijd gemeten en geregistreerd. Door de ballon geleidelijk te vullen en de patiënt te vragen wanneer hij die begint te voelen, kan men de gevoeligheidsdrempel van het rectum voor vulling bepalen. Indien het rectum door langdurige constipatie is uitgerekt, zal de gevoeligheid verminderd zijn en moet de ballon meer dan normaal worden gevuld voordat de patiënt deze voelt. Daarna zal men de ballon verder vullen

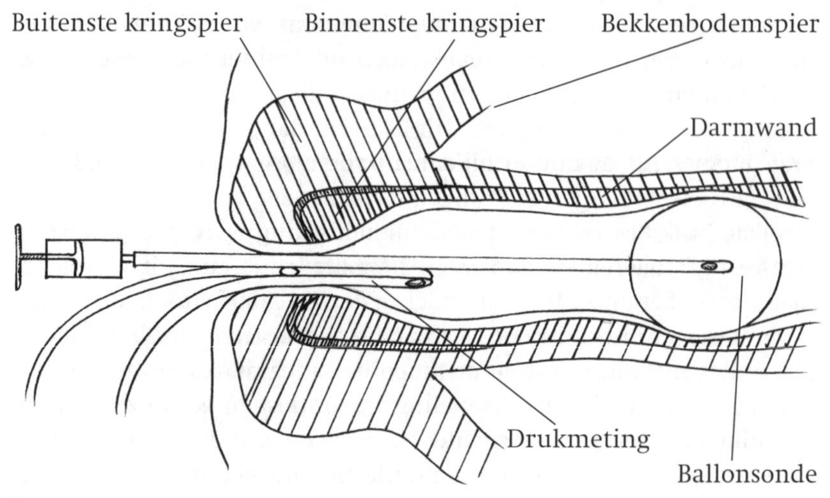

Figuur 23

tot er echt aandrang optreedt. Men kijkt of de inwendige sluitspier zich goed ontspant bij het vullen van het rectum. Als laatste punt gaat men na of de bekkenbodem zich goed ontspant tijdens het uitpersen van de ballon. Is dit niet het geval en spant de bekkenbodem zich daarentegen, dan is er sprake van paradoxale contractie van de bekkenbodem.
Verder onderzoek in de vorm van het nemen van een stukje darmslijmvlies om er onder de microscoop zenuwcellen in op te sporen (zgn. rectale zuigbiopten) of anale elektromyografie (onderzoek naar spieractiviteit) is alleen geïndiceerd bij therapieresistente of atypische patiënten, of wanneer men denkt aan een organische oorzaak (een echte ziekte) voor het constipatie/encopresisprobleem.

Aanpak

Preventie

Goede zindelijkheidstraining

Bij een kind met chronische constipatie is het begin van deze problemen niet zelden in de periode van de zindelijkheidstraining te situeren. De oorzaak kan te vinden zijn in een geforceerde zindelijkheidstraining met dwangmaatregelen en straf, of in een te vroege zindelijkheidstraining, op een moment dat het kind er nog niet aan toe is. Een potje waar de peuter comfortabel op zit met de voeten steunend op de grond, is een belangrijke voorwaarde voor een succesvolle training. Ook een kleuter kan het beste niet boven het toilet hangen, dit kan angst 'om mee door te spoelen' veroorzaken. Een speciale inlegbril en een voetbankje bieden hier comfort.

Zindelijkheidstraining mag niet worden gestart voordat een peuter er rijp voor is. Dit is pas het geval wanneer de peuter zelf aangeeft dat hij/zij een vuile broek heeft, en wanneer hij/zij voldoende cognitieve vaardigheden heeft verworven. Dit betekent dat de peuter neus, ogen, oren, haar en mond kan aanduiden, op verzoek gaat zitten en opstaan, op verzoek iets brengt, twee dingen bij elkaar zet, en twee dingen in of op elkaar zet. Meestal kan de zindelijkheidstraining worden gestart op een leeftijd variërend tussen 18 en 30 maanden.

Acute constipatie herkennen en adequaat aanpakken

Wanneer een kind acuut geconstipeerd raakt, zal het pijn voelen bij defecatie van een harde, dikke ontlasting. Deze pijn kan er de oorzaak van zijn dat het kind bang wordt om ontlasting te hebben, niet reageert op stoelaandrang, en door dit ophouden van een acute naar een chronische constipatie evolueert. Om deze vicieuze cirkel van pijn en ophouden te voorkomen, is het belangrijk oog te hebben voor de ontlastingfrequentie en -consistentie in omstandigheden waar er een verhoogd risico op constipatie bestaat, zoals bij ziek zijn met hoge koorts en verminderde vochtinname, of langdurige bedlegerigheid met verminderde beweging na een ongeval of operatie.

Hygiënische toiletten op school

Kinderen leren niet te reageren op aandrang en de hele dag op te houden, omdat ze op school niet naar het toilet durven gaan, omdat de toiletten er te vuil zijn of te weinig privacy bieden. Dit uitstellen van defecatie resulteert opnieuw in het ophouden van ontlasting met het ontwikkelen van een vergroot rectum dat een verminderde gevoeligheid krijgt en zo oorzaak wordt van een chronisch constipatieprobleem.

Gezonde voedingsgewoonten

Alle onderzoeken naar de voedingsgewoonten bij schoolkinderen tonen aan dat hun vochtinname te gering is. Voldoende drinken is een hoeksteen in de preventie en de behandeling van constipatie. Dit betekent dat men voor een vochtinname van minstens 1 tot 1.5 liter per dag zorgt, afhankelijk van de leeftijd van het kind.
Daarnaast is het ook belangrijk de vezelinname te vergroten door het eten van volkorenbrood, fruit en groenten.
Melk drinken kan het beste worden beperkt tot 0.5 l per dag. Anders zal het grootste deel van de behoeften van een kind door vezelarme zuivel worden ingevuld, en zal er automatisch minder gevarieerd gegeten worden. Een halve liter melk is voldoende om in de kalkbehoefte van een kind te voorzien.

Behandeling

De behandeling van chronische constipatie is langdurig. Ook na het stoppen van de medicamenteuze therapie zal de ontlastingfrequentie en -consistentie een punt van aandacht moeten blijven. Terugval komt immers frequent voor. Het is belangrijk hierop te wijzen bij de start van de behandeling om ontgoocheling bij de patiënt en zijn/haar ouders te voorkomen.
Een probleem dat het gevolg is van jaren te lang ophouden van ontlasting, kan niet in enkele weken worden opgelost. Bij encopresis of soiling is het belangrijk dat er wordt uitgelegd dat deze soiling niet de schuld is van het kind. Door de voortdurende aanwezigheid van ontlasting in het rectum bestaat er immers een verminderde gevoeligheid voor aandrang. Lossere ontlasting kan ongewenst over harde ontlasting heensijpelen.
Om een goede therapietrouw te bereiken, zal men bij de start van de behandeling duidelijk de bedoeling van de verschillende onderdelen van de therapie uitleggen, met name de darm voldoende lang leeg genoeg houden om het herstel van een normale gevoeligheid mogelijk te maken.
De behandeling bestaat uit vier punten die elk even belangrijk zijn:
1. Lozing of verwijdering van opeengehoopte ontlasting (gedurende ongeveer een week).
2. Laxering of zorgen voor zachte ontlasting (enige maanden).
3. Goede ontlastinggewoonten (levenslang).
4. Veel vocht, vezels (levenslang).

1. Impactie opheffen

Hiervoor kan een reeks lavementen worden gebruikt met afbouwende frequentie (dag 1, 2, 3, 5, 7, 10). Dit gebeurt op voorschrift van een arts. Sommige lavementen kunnen kalktekort in het bloed veroorzaken, zeker bij zuigelingen of jonge kinderen. Wanneer het lavement in de vooravond wordt toegediend, resulteert het in defecatie 's avonds wanneer het kind thuis is.
Indien het kind zich erg verzet bij het rectale onderzoek en erg bang is voor alles wat rond de anus gebeurt, kan men gebruik maken van middelen die via de mond worden toegediend (bijvoorbeeld natriumpicosulfaat, 1dr/5kg/dag). Het nadeel hierbij is dat het tijdstip van defecatie minder voorspelbaar is, en de lozing vaak minder volledig.
Indien er duidelijk sprake is van ophoping en er veel weerstand tegen rectaal toegediende medicatie bestaat, kan een volledige en goede lozing worden bereikt door toedienen van een polyethyleen-glycoloplossing via de mond of via een maagsonde, zoals dit gebeurt tijdens de voorbereiding van de darm voor coloscopie (kijkonderzoek in de dikke

darm). Dit neemt drie tot vier uur tijd in beslag. De totale hoeveelheid die nodig is voor een volledige reiniging is kleiner wanneer de toediening sneller kan geschieden. De reiniging is compleet wanneer de ontlasting helder is geworden.

2. Recidief voorkomen

Wanneer de ophoping is opgeheven, zal bij een ernstige constipatie gedurende een eerste tijd (enige maanden) medicatie nodig zijn om een terugval te voorkomen. Hiervoor zijn bij kinderen osmotische laxantia (lactulose, lactitol, sorbitol) of niet-oplosbare minerale oliën (paraffineolie zonder fenolftaleïne) het meest geschikt. Het is belangrijk bij de start van de behandeling voldoende hoog te doseren. Voor zowel de osmotische laxantia als voor paraffineolie betekent dit 2 tot 3 soeplepels per dag. Indien er paraffineolie in het ondergoed lekt, is dit meestal een teken van nog overblijvende impactie (opeenhoping van ontlasting en dus een open inwendige sluitspier) en niet van overdosering. Bij een gunstige reactie kan deze dosis geleidelijk worden afgebouwd over een verloop van 3 tot 6 maand.

3. Toilettraining

Het kind wordt aangeraden twee tot drie keer per dag, na de maaltijd, gedurende 10 tot 15 minuten op het toilet te gaan zitten. Op dat moment komt er immers een prikkel van de maag naar de dikke darm, die de dikke darm tot activiteit aanzet (gastrocolische reflex). Er wordt gezorgd voor een bezigheid: muziek beluisteren, voorlezen, lezen... zodat het toilet met iets prettigs geassocieerd wordt.
Om dit toilet-zitten mogelijk te maken, is een comfortabele houding noodzakelijk. Voor kleine kinderen wordt liever gebruik gemaakt van een gemakkelijk potje dan van het gewone toilet. Bij kleuters wordt gebruik gemaakt van een inlegbril op het toilet en van een voetbankje. Voetsteun is nodig om te vermijden dat de benen gaan tintelen of pijn doen na een tijd op het toilet.
Op een kalender (zie bijlage) worden het toilet-zitten, de ontlasting op het toilet en de eventuele vuile broeken genoteerd. Dit verhoogt de motivatie en maakt het mogelijk de resultaten van de behandeling objectiever te beoordelen. Zolang kinderen onvoldoende notie van tijd hebben om een kalender te begrijpen, kan een tekening worden gebruikt. Na het toilet-zitten, en na defecatie op het toilet mag dan een sticker op de tekening aangebracht worden (voor de beide handelingen een bolletje met een verschillende kleur). Voor een vuile broek brengt men een bolletje aan buiten de tekening. Zijn er in een bepaalde maand meer defecaties dan in de vorige maand en minder vuile

broeken, of staat de tekening vol met bolletjes, dan volgt een vooraf afgesproken beloning.
Het is eveneens erg belangrijk dat de kinderen leren om direct op aandrang te reageren, en dat ze hiervoor ook de gelegenheid krijgen (bijvoorbeeld de klas kunnen verlaten om naar het toilet te gaan). Er bestaan geen geldige redenen om 'uit te stellen'.

4. Voeding: vocht en vezels

Zie hiervoor onder preventie. Vezels zonder voldoende vocht verhogen de opeenhoping van ontlasting en hebben dus een averechtse werking!

Worden bovenstaande regels van behandeling goed opgevolgd, dan zal het probleem van de encopresis/constipatie binnen de zes maanden zijn opgelost. Blijft encopresis bestaan en wordt de behandeling niet stipt opgevolgd, dan kan door anale biofeedback training een adequate perstechniek worden aangeleerd. Deze training wordt door fysiotherapeuten met een speciale opleiding voor bekkenbodemreëducatie gegeven. Hierbij wordt gebruik gemaakt van een gelijkaardig toestel als dat voor anale drukmeting. De ballon wordt opgeblazen tot de patiënt hem voelt. Door de patiënt attent te maken op dit gevoel, kan de vulling van de ballon geleidelijk worden verminderd. Daarnaast wordt aangeleerd om de bekkenbodem goed te ontspannen bij het persen. De patiënt kan door middel van geluid of door een curve op een scherm zelf zien hoe goed hij het doet, en zichzelf corrigeren. De aangeleerde oefeningen worden thuis tijdens de trainingsmomenten na afloop van de maaltijd verder uitgevoerd.
In enkele gevallen kan encopresis de uiting zijn van een ernstige achterliggende psychosociale stoornis. Ontlasting in de broek of op het tapijt is dan een (ongepaste) manier om aandacht te vragen. In deze gevallen is de hulp van een psycholoog bij de behandeling van begin af aan onmisbaar. Volgens onze ervaring en die van anderen is dit slechts noodzakelijk bij minder dan 10 % van de kinderen die worden verwezen voor encopresis. Heel vaak zijn gedragsmoeilijkheden meer het gevolg dan de oorzaak van de encopresis.
Een andere taak voor de psycholoog is patiënten verder te motiveren om de therapie te volgen wanneer zij vroegtijdig de moed laten zakken. Sommige peuters of kleuters hebben na pijnlijke defecatie (door te dikke ontlasting of door de aanwezigheid van een anaal kloofje) zo'n angst gekregen dat ze hun ontlasting blijven ophouden, ook als deze zacht is gemaakt. Aandringen om op de pot te gaan, heeft dan vaak een averechts effect.
Indien de methode met een tekening en stickertjes, zoals hierboven beschreven, niet helpt, is eveneens gedragstherapeutisch advies voor

de ouders nuttig. Een vicieuze cirkel waarbij aandringen van de ouders alsmaar resulteert in een sterkere weigering van het kind (bijvoorbeeld in de koppigheidsfase rond de leeftijd van twee jaar), moet dan immers worden doorbroken.

	's morgens		*'s middags*		*'s avonds*		*vuile broeken?*
	op toilet	*ontlasting*	*op toilet*	*ontlasting*	*op toilet*	*ontlasting*	
maandag							
dinsdag							
woensdag							
donderdag							
vrijdag							
zaterdag							
zondag							
maandag							
dinsdag							
woensdag							
donderdag							
vrijdag							
zaterdag							
zondag							
maandag							
dinsdag							
woensdag							
donderdag							
vrijdag							
zaterdag							
zondag							

Hoeveel dagen zonder vuile broek? *Hoeveel keer ontlasting?*

7 Diagnostische en therapeutische handleiding voor bedplassen

Dr. Ann Raes, kindernefrologe

Zomaar bedplassen of één soort bedplasser bestaat niet. We hebben altijd te maken met een complexe situatie, met verschillende deelaspecten van een probleem. Het is dan ook steeds belangrijk om het probleem volledig te onderzoeken en niet te snel conclusies te trekken, en dus pas met een behandeling te starten als we het type bedplasser waar we mee te maken hebben, geïdentificeerd hebben.
Men kan al met wat simpel 'huiswerk' een belangrijk onderscheid maken. De taken bestaan daarbij uit:

- het bijhouden van een plas- en drinkkalender
- het meten van het maximale blaasvolume
- het nagaan van de wijze waarop het kind plast
- het meten van de nachtelijke urineproductie
- het evalueren van psychische of karakterproblemen

De plaskalender

Gedurende 14 dagen noteert men hoeveel het kind drinkt en hoe vaak het plast of ontlasting produceert, zowel 's nachts als overdag. Er wordt ook genoteerd hoe vaak het kind nat is, zowel 's nachts als overdag, ook als het maar om enkele druppels urineverlies gaat (fig. 24).

Het maximale blaasvolume

Gedurende een dag wordt aan het kind gevraagd om zoveel mogelijk te drinken en zolang mogelijk het plassen uit te stellen. Telkens wanneer het kind gaat plassen, wordt hierbij de hoeveelheid urine gemeten met een gewone maatbeker uit de keuken.

Hoe plast het kind?

Er wordt aan de ouders en het kind gevraagd om eens zorgvuldig te observeren hoe het kind plast: nagaan van de sterkte van de straal, de duur van de plas, gebeurt het plassen in één of in meerdere keren, komt nadruppelen voor, hoe groot is de plas?

PLASKALENDER / DRINKSCHEMA

Naam : ....

Week	DAG 1	DAG 2	DAG 3	DAG 4	DAG 5	DAG 6	DAG 7
Datum	......./.......	......./.......	......./.......	......./.......	......./.......	......./.......	......./.......
's Nachts							
's Morgens							
Speeltijd							
's Middags							
Speeltijd							
Vieruurtje							
's Avonds							
Voor het slapengaan							
Opmerking Medicatie							

's Nachts : * droog =  * nat =

Overdag : * plassen = **X** of ...... ml

* nat broekje (**1** : enkele druppels / **2** : volledig nat) = **NB1/2**

* 1 glas / tas drinken =

Figuur 24

Het meten van de nachtelijke urineproductie

Gedurende een aantal nachten wordt de hoeveelheid urine gemeten, ofwel door het wegen van de pamper, ofwel door het kind een paar keer uit bed te halen om het te laten plassen en zo de hoeveelheid urine te bepalen.

Evaluatie van psychische of karakterproblemen

Bij ernstige stoornissen zoals contactstoornissen, stelen, waanvoorstellingen enzovoort, is uiteraard een psychiatrische behandeling noodzakelijk. De meerderheid van de kinderen die bedplassen, hebben echter secundaire psychische problemen, zoals een negatief zelfbeeld, een minderwaardigheidscomplex, het zich niet goed in zijn vel voelen, enzovoort. Het is heel belangrijk om deze zaken niet te negeren, maar het belangrijkste is vooral dat ouder of therapeut het probleem van het bedplassen reëel erkennen en het ernstig nemen. Elke mislukte behandeling zal immers de reeks psychische problemen verder versterken.

De vier types bedplassers

We onderscheiden vier verschillende types bedplassers. Op basis van de bovenvermelde gegevens kan men reeds met bijna 90% zekerheid bepalen tot welk type bedplasser het desbetreffende kind behoort.

Type I: er zijn duidelijke aanwijzingen voor een verhoogde nachtelijke urineproductie

Als de hoeveelheid urine die 's nachts wordt geproduceerd, duidelijk groter is dan het gemeten blaasvolume en dan een berekende waarde voor het blaasvolume, namelijk (leeftijd+2) x 30 ml, dan heeft het kind hoogstwaarschijnlijk een verhoogde nachtelijke urineproductie. De behandeling van deze vorm vraagt meestal om medicamenteuze ondersteuning, zodat men best een arts raadpleegt. De meeste andere behandelingen zullen hier immers falen.

Type II: er zijn aanwijzingen voor een stoornis bij de blaas

- Het kind heeft overdag vaak een natte broek, soms gaat het om slechts enkele druppels urineverlies.
- 's Nachts is er een urineverlies van slechts enkele druppels, het bed is niet helemaal nat.

- Er zijn aanwijzingen voor een te kleine blaas:
  – het kind moet meer dan 7 keer per dag plassen
  – het kind moet dikwijls plassen tijdens de les
  – het kind kan niet wachten om te plassen zonder een beetje urineverlies = urge-incontinentie
  – het gemeten maximale blaasvolume is veel kleiner dan het blaasvolume voor de leeftijd, berekend met de formule (leeftijd+2)x 30 ml (= de formule van S. Koff)
- Er is een gestoord plaspatroon:
  – het plassen gebeurt met onderbrekingen
  – het kind gaat 2 tot 3 maal na elkaar naar het toilet
  – het plassen gebeurt met een zeer krachtige of te flauwe straal (het kind plast op zijn schoenen)
  – het plassen duurt zeer lang
  – nadruppelen komt voor
- Er is ook sprake van urinewegontstekingen of een voorgeschiedenis van blaasoperaties.
- Er zijn ook stoelgangproblemen: er is sprake van constipatie of diarree, of er zijn vuile vegen in het broekje te zien, of het kind verliest ontlasting (encopresis).

Indien één of meerdere van deze aanwijzingen kunnen worden vastgesteld, mag met vrij grote waarschijnlijkheid worden aangenomen dat het kind een blaasstoornis heeft. Het kind kan dus niet zindelijk zijn, en zal ook hoogstwaarschijnlijk niet vanzelf zindelijk worden. Indien het kind ouder is dan 5 jaar, kan men best een arts raadplegen vooraleer enige behandeling wordt gestart. Verdere onderzoeken zullen moeten uitwijzen om welk type blaasstoornis het gaat.

Type III: primair psychologische of psychiatrische enuresis

Indien uw kind belangrijke psychische of karakterproblemen heeft, kan het behoren tot dit type bedplasser. Hierbij moeten we echter op voorhand stellen dat deze vorm zeer zeldzaam is en frequent samengaat met het produceren van grote plassen (= enuresis) en/of met ontlastingverlies overdag, en er mag geen stoornis bij de blaas of in de nachtelijke urineproductie aanwezig zijn.
Kinderen met kleine beetjes urineverlies (= incontinentie) behoren hier niet toe. Aangezien elke psychische factor de druppel kan zijn die de emmer doet overlopen bij iemand van de andere types bedplassers, betekent dit niet dat patiënten met psychische problemen automatisch tot type III behoren.

Type IV: het cognitieve, idiopathische of klassieke type
Deze vorm komt het frequentst voor, het gaat hier om 'de echte bedplasser'. Ongetwijfeld is hierbij alles wat het 'huiswerk' betreft volledig normaal, zodat verdere onderzoeken niet nodig zijn en een behandeling kan worden gestart. Medicatie is hierbij meestal niet nodig, maar training en een plaswekker zijn de methoden waarvoor gekozen kan worden.

Belang van de identificatie

Het proberen te identificeren van het type bedplasser waartoe een kind behoort, is wel degelijk belangrijk omdat de behandeling afhankelijk is van het type, en omdat ouder of therapeut dan kunnen bepalen of ze het kind zelf kunnen behandelen of het best eerst medisch advies kunnen vragen.

8 De technische onderzoeken

Dr. Erik Van Laecke, kinderuroloog

Inleiding

Bij het behandelen van problemen met bed- en broekplassen wordt vaak gebruikgemaakt van technische onderzoeken. Deze onderzoeken maken het mogelijk informatie die wordt verkregen uit de anamnese, het klinisch onderzoek en de drink- en plaslijsten, aan te vullen met kwantitatieve gegevens die toelaten de blaaswerking – zowel het stapelen als het ledigen – beter te analyseren en te interpreteren. We bespreken de plasstraalmeting of uroflowmetrie, en het blaasfunctieonderzoek, ook wel urodynamisch onderzoek genoemd.

De uroflow

Dit is het eenvoudigste, niet-invasieve onderzoek waarmee de plassnelheid en het plasvolume worden bepaald. De patiënt plast in een aangepast toiletje dat bestaat uit een trechter met op de bodem een draaiend schijfje (fig. 25). Om het schijfje met eenzelfde snelheid draaiende te houden wanneer de plasstraal erop terechtkomt, neemt het energieverbruik van het toestel toe. Uit deze energietoename kan de plassnelheid worden berekend. De aldus berekende plassnelheid wordt grafisch weergegeven. Dit levert bij een normale plas een klokvormige curve op (fig. 26).
Deze curve is vrij specifiek voor een bepaald plaspatroon. Zo zal de curve bij persen tijdens het plassen onderbroken zijn door het onvoldoende lang aanhouden van het persen (fig. 27). Bij een obstructie in het verloop van het plaskanaal zal de maximale plassnelheid duidelijk lager liggen en is de plastijd verlengd (fig. 28). Bij dysfunctioneel plassen is de curve onderbroken ten gevolge van de bekkenbodem- en/of sluitspieractiviteit tijdens de plas (fig. 29). Analyse van het profiel van de curve, gecombineerd met gegevens zoals het geplaste volume, de maximale plassnelheid, de plastijd en de tijd die nodig is om tot de maximale plassnelheid te komen, maakt het mogelijk de uroflowmeting te interpreteren en te gebruiken bij het stellen van de diagnose.
Opdat de uroflow betrouwbare informatie zal leveren, dient aan enkele voorwaarden te worden voldaan.

1. Het plassen dient te gebeuren met een goedgevulde blaas.

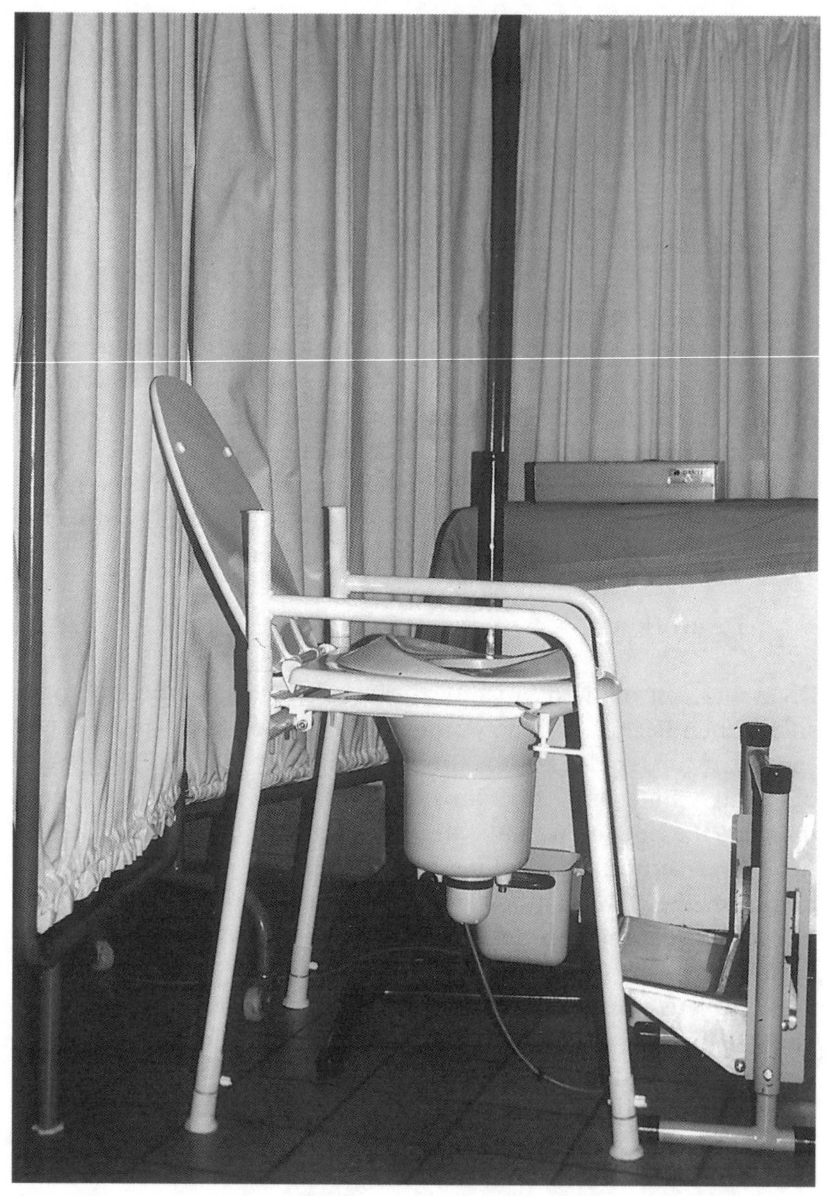

Figuur 25

2. Het plassen dient in rustige omstandigheden te gebeuren. Het is dan ook belangrijk dat het kind eerst de tijd krijgt om aan de omgeving en het toestel te wennen. Bovendien moet het hoe en waarom van dit onderzoek op een duidelijke manier worden uitgelegd aan het kind.
3. Het plassen moet in de ideale plashouding gebeuren, liefst zittend, met de voetjes gesteund, en met de broek en/of rok en onderbroek goed naar beneden gehaald. Een jongetje een uroflow laten produce-

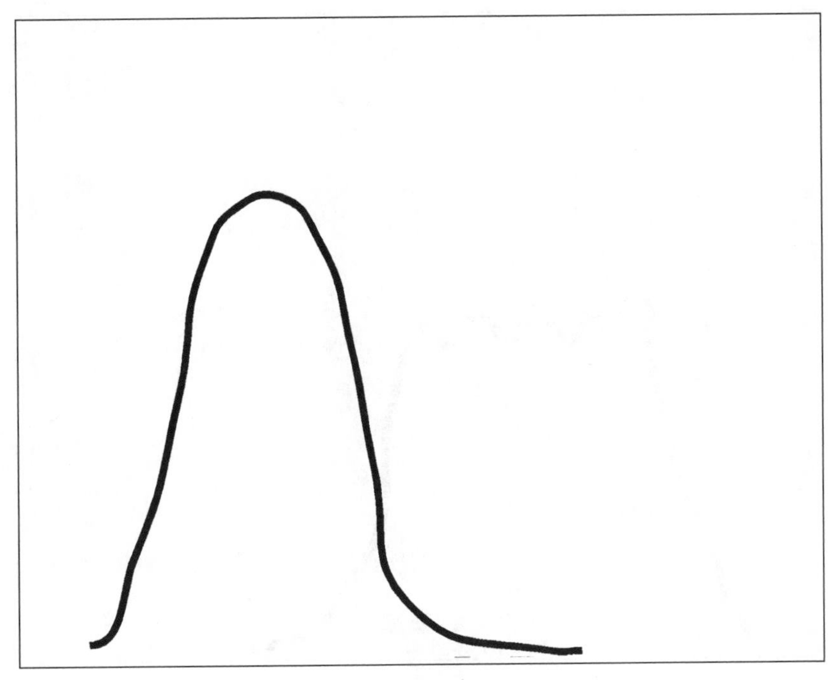

Figuur 26: normale uroflow

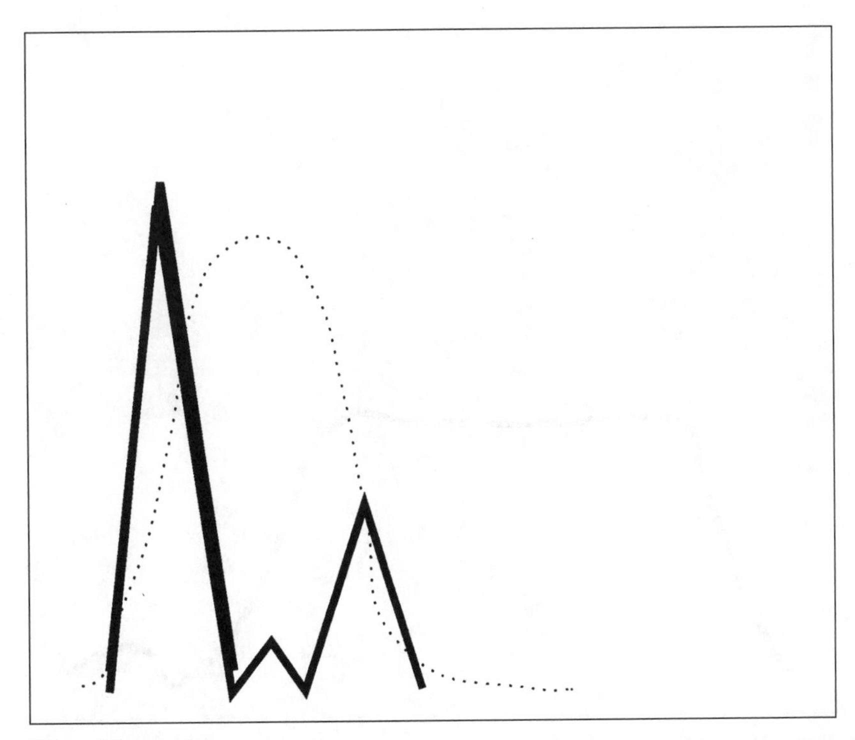

Figuur 27: persmictie

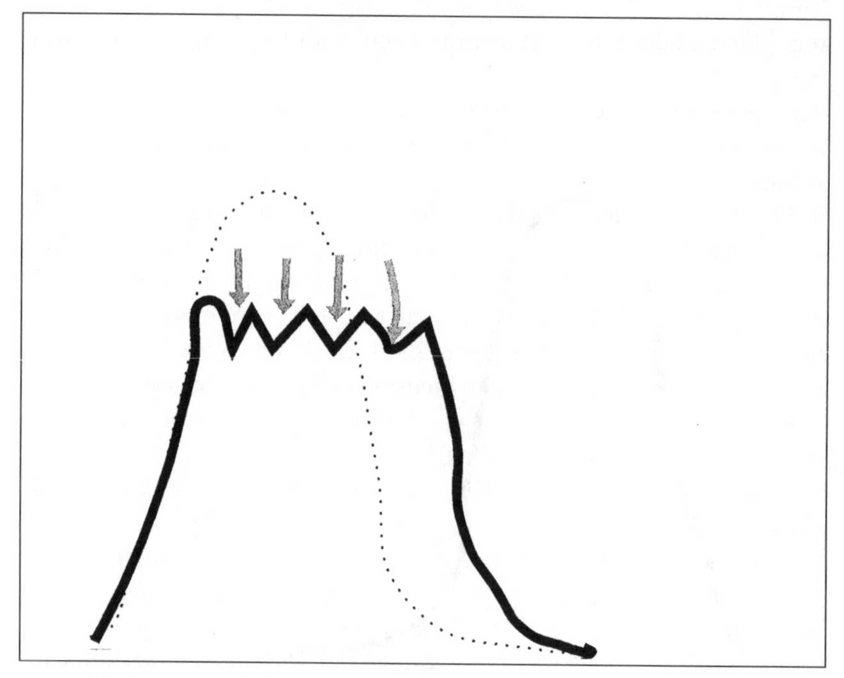

Figuur 28: dyssynerge mictie

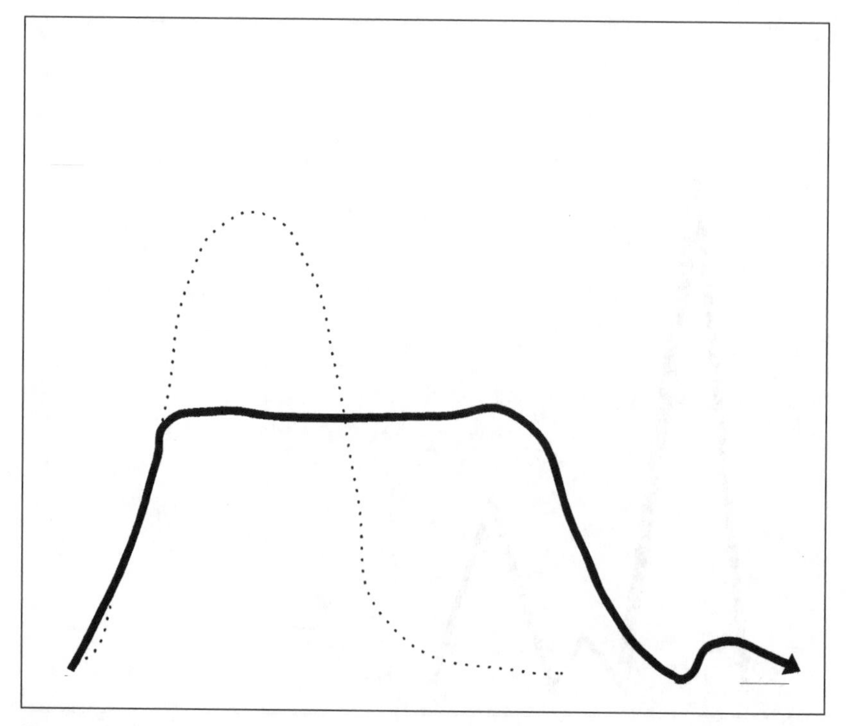

Figuur 29: obstructie

ren, plassend door de gulpopening heen, leidt tot afwijkende registraties.
4. De patiëntjes moeten minstens 4 jaar oud zijn.
5. Om tot een conclusie te komen zijn meerdere registraties noodzakelijk.
6. Een uroflow moet steeds worden gevolgd door een echografisch onderzoek. Hiermee kan op een niet ingrijpende wijze worden gekeken of het kind zijn blaas volledig ledigt. Tevens biedt dit onderzoek de mogelijkheid de blaas- en nierstructuur te controleren.
Naast een belangrijk diagnostisch middel is de uroflow ook van therapeutisch belang. Deze methode biedt de behandelende therapeut een objectief middel om het effect van de therapie te controleren. Bovendien geeft ze de mogelijkheid aan het patiëntje op een visuele wijze, door het bekijken en vergelijken van de bekomen curves, de kwaliteit van de plas te beoordelen.
De uroflow is dus een richtinggevend onderzoek bij de interpretatie van de plas dat echter niet toelaat de afzonderlijke factoren van de blaasfunctie, namelijk het verzamelen en het ledigen, apart te analyseren. Willen we meer te weten komen over deze afzonderlijke factoren, dan dient het kind een blaasfunctie-onderzoek, ook wel video-urodynamisch onderzoek genoemd, te ondergaan.

Het blaasfunctie-onderzoek

Dit is een ingrijpender onderzoek dan de uroflow. Tijdens dit onderzoek wordt op een gedetailleerde wijze informatie verzameld over het gedrag van de blaas, de bekkenbodem en de sluitspier tijdens de vullings- en de ledigingsfase van de blaas.
Wanneer we aan dit onderzoek ook nog röntgenwaarneming koppelen, kan informatie over de anatomie van het urinewegstelsel verkregen worden (fig. 30). Zo is het mogelijk afwijkingen aan de urinebuis of het terugvloeien van urine vanuit de blaas naar de nier (reflux) aan te tonen. Voor dit onderzoek dient het kind in gynaecologische houding op een radiografische tafel te worden gelegd. Nadat de arts een uitgebreid klinisch onderzoek heeft uitgevoerd, waarbij veel aandacht is gericht op afwijkingen aan de uitwendige geslachtsorganen en de bezenuwing, wordt begonnen met het inbrengen van de vul- en meetcatheter. Eerst wordt het plasgaatje ontsmet met een niet-prikkende stof (chloramine 0.5 %). Vervolgens wordt een lokaal verdovende gel rondom het plasgaatje aangebracht, waarna eventjes wordt gewacht tot dit middel voldoende werkt. Pas dan wordt de onderzoekscatheter, ook wel de 'spaghetti' genoemd, in de blaas ingebracht. Deze catheter bestaat uit een hol, soepel buisje waardoor een vloeistof langzaam in

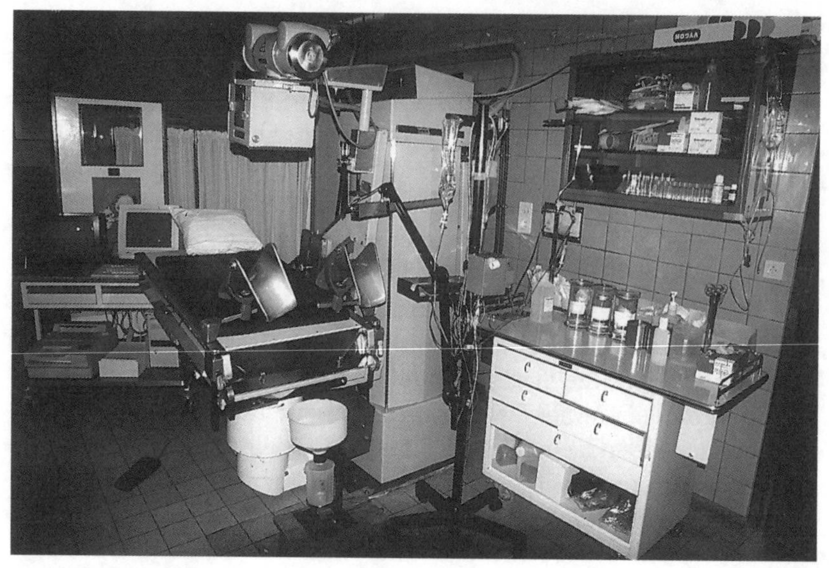

Figuur 30

de blaas wordt gebracht. Op de catheter zijn twee drukmetertjes aangebracht, een voor het meten van de blaasdruk en een voor het meten van de sluitspierdruk (fig. 31). Tevens wordt een drukmetertje in de anus aangebracht om de buikdruk te registreren. Zodra deze cathetertjes goed geplaatst zijn, wordt de blaas heel langzaam gevuld. Het kind speelt daarbij zelf de rol van onderzoeker en geeft elke gewaar-

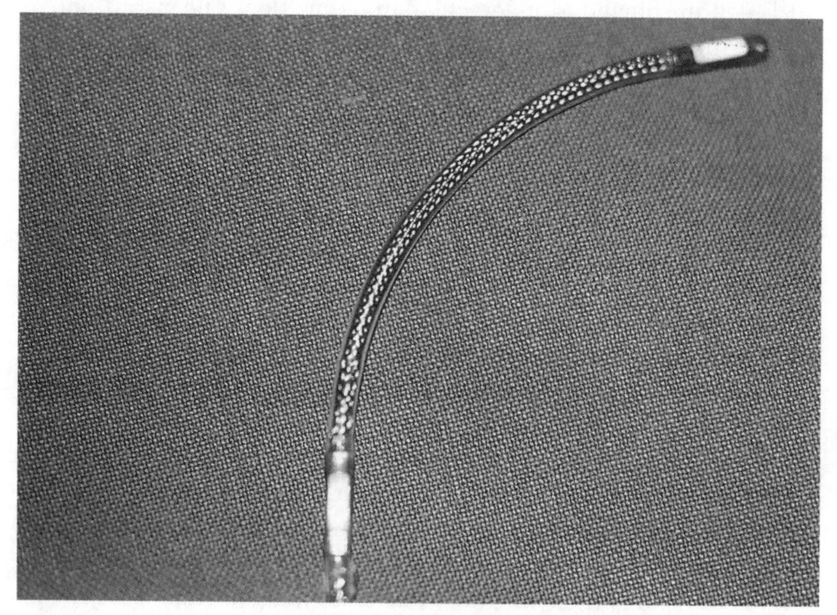

Figuur 31

wording, zoals eerste blaasgevoel, plasdrang en volle-blaasgevoel, door aan de arts. Wanneer de blaas vol is, mag het kind een eerste keer plassen, waarbij de cathetertjes ter plaatse blijven. Bij een tweede meting wordt dan geplast zonder buisjes. Op deze manier kan in korte tijd en zonder het kind zwaar te belasten, een schat aan informatie verkregen worden over het functioneren van zijn/haar urinewegstelsel.
Dit onderzoek dient in een kindvriendelijke omgeving te gebeuren. Het verdient dan ook de voorkeur dat de ouders of de begeleiders gedurende het hele onderzoek aanwezig zijn. Om het wat minder onaangenaam te maken en de spanning die vaak rond dit onderzoek hangt, wat te doorbreken, kan men het kind gedurende de procedure naar een videofilmpje laten kijken. Op deze manier kan het resultaat van dit onderzoek vaak gunstig worden beïnvloed.
Gebaseerd op de gegevens van dit blaasfunctie-onderzoek, kan dan een gepaste therapie worden gestart. Ofwel kan er bij een anatomische afwijking aan de urinebuis worden gekozen voor een rechtstreeks kijkonderzoek in de blaas en de urinebuis: cystoscopie – dit onder algehele verdoving.

Besluit

De technische onderzoeken, zoals de uroflow en het blaasfunctieonderzoek, vormen een onontbeerlijke bron van extra informatie bij het uitwerken van meer ingewikkelde problemen van bed- en broekplassen. Hoewel vaak niet echt prettig, dienen zij, uitgevoerd in een aangepaste omgeving en door ervaren artsen, en voorafgegaan door een begrijpelijke uitleg, geen kwelling te zijn, noch voor het patiëntje, noch voor de ouders.

9 Nog niet zindelijk: hoe kunnen we helpen?

Marleen Theunis en Eline Van Hoecke, kinderpsychologen

Inleiding

Ouders van kinderen met plasproblemen gaan niet onmiddellijk met deze kinderen naar een gespecialiseerd team. Zij proberen eerst zelf allerlei methoden uit, zoals 'wolkjes en zonnetjes', na een bepaald uur niet meer drinken, 's nachts opstaan, homeopathie, fysiotherapie enzovoort. Dit leidt niet altijd tot resultaat. Wil een behandeling slagen, dan moet zij multidisciplinair zijn en aangepast aan elk afzonderlijk kind. Een zorgvuldige typering van de problematiek is noodzakelijk. Een multidisciplinaire screening is hierbij essentieel. Deze screening vormt de basis van het zindelijkheidstrainingsplan.
Tijdens de zindelijkheidstraining ligt de nadruk enerzijds op de relatie tussen het gedrag en het organische functioneren tijdens de lozing, en anderzijds op het inzicht hierin. Dit inzicht verbeteren we bij het kind en zijn ouders door een begrijpelijke verklaring van het plasprobleem te geven. Zo stellen we de nieren voor als filters, en de blaas als een ballon. De verbindingen tussen de blaas en de hersenen zijn als telefoonlijnen waarlangs boodschappen worden verzonden. Dit leidt vaak tot een verhoogde medewerking van ouders en kind.

Hoe kunnen we kinderen met natte bedden/natte broeken helpen?

Voor we het kind kunnen helpen, moeten we het eerst motiveren om aan zijn plasproblemen te werken. Zonder deze motivatie is de kans op succes kleiner. De therapie vereist een grote inzet en een geconcentreerd bezig zijn met het plasprobleem. Pas wanneer het kind voldoende inzicht heeft in zijn eigen functioneren en in zijn eigen plasprobleem, en pas wanneer het voldoende gemotiveerd is om aan zijn klacht te werken, kan het een ander, meer adequaat gedrag aanleren. Bij dit leerproces maken we gebruik van gedragstherapeutische technieken zoals:

- Plaswekker en alarmbroekje
- Blaastraining
- Efficiënte stimulering
- Toilettraining

- Biofeedback: uroflow en echografie
- Leren spannen en ontspannen van de sluitspier: urogym
- Vergroten van de gevoeligheid
- Droge-bedtraining (DBT)
- Cognitieve training
- Imaginaire strategieën
- Aanvullende technieken

Plaswekker en alarmbroekje

De plaswekker is een toestel dat het kind helpt om op een juiste manier op aandrang tijdens de nacht te reageren. Wanneer het kind tijdens de nacht begint te plassen, zal bij de eerste druppels een bel rinkelen. Door op deze wijze een gevulde blaas en het eraan gekoppelde begin van de urinelozing te verbinden met een belgeluid, leert het kind adequaat reageren op signalen van de blaas tijdens de nacht. Deze methode werd het eerst gebruikt door Mowrer en Mowrer (1938) en is gebaseerd op het conditioneringsmechanisme van Pavlov.
Het alarmbroekje waarschuwt het kind om naar het toilet te gaan en daar te plassen. Zodra het kind een paar druppels urine verliest, rinkelt een bel. Het kind stopt hierdoor met plassen en gaat naar het toilet.
Deze methoden worden het beste gecombineerd met een efficiënte stimulering: op gewenst gedrag volgen positieve aanmoedigingen, op ongewenst gedrag negatieve.

Blaastraining (urineretentie-methode)

Deze training vindt overdag plaats. Het kind leert zijn plas op te houden om zo zijn blaasinhoud te vergroten. Het drinkt meer en stelt het plassen steeds langer uit, waarbij het telkens zijn plasvolume meet. Het is de bedoeling een steeds groter volume te plassen dan de voorgaande keer.
Sommige kinderen voelen al bij geringe hoeveelheden urine aandrang tot plassen, waarop de lozingsrespons veel te snel volgt. Vaak zijn ook de mama's of papa's bang voor natte broeken: zij sturen hun kind overdag veel te vaak naar het toilet. Hierdoor leert het kind niet om grotere hoeveelheden urine vast te houden, wat nodig is om een volledige nacht droog door te kunnen slapen.
Tijdens de training wordt het kind geleerd via positieve stimulering het retentie-interval (= tijdsverloop tussen de aandrangprikkels en de urinelozing) te vergroten. Aldus probeert men de functionele blaascapaciteit te doen toenemen.

Efficiënte stimulering

Het niet zindelijk worden leidt heel vaak tot het uitproberen van allerlei middelen zoals belonen, straffen, niets zeggen, 'zonnetjes en wolkjes'. Deze middeltjes worden echter vaak door elkaar en niet systematisch aangewend, en hierdoor leert het kind niet wat gewenst en wat ongewenst gedrag is. Zowel ouders als kind kunnen adequater reageren op het probleem. Met de ouders bekijken wij hoe zij consequenter kunnen stimuleren en afzwakken.
Het is belangrijk stap voor stap te werken. De verschillende deelvaardigheden die het kind tijdens de zindelijkheidstraining moet verwerven, dienen stap voor stap te worden aangeleerd. Elk gewenst onderdeel van het gedrag moet worden beloond, zodat het kind dat gedrag herhaalt en verder instudeert. Soms is het wenselijk om ongewenst gedrag, zoals in een nat bed blijven liggen, te bestraffen. Dat kan door iets leuks weg te nemen of door iets onaangenaams op het ongewenste gedrag te laten volgen. Wel is het belangrijk te weten dat belonen vaak sneller en op een meer aangename manier tot resultaat leidt dan bestraffen. Belonen kan zowel materieel, in de vorm van een cadeau, als sociaal, in de vorm van een aanmoediging.

Toilettraining

Het kind moet meerdere keren na elkaar naar het toilet gaan. Kinderen hebben soms, om welke reden ook (bijvoorbeeld vieze toiletten op school of een toilet op een koude donkere plaats buiten), afgeleerd om naar het toilet te gaan. Naar het toilet gaan wordt in dat geval zo ingestudeerd dat het niet langer een extra inspanning betekent, maar eerder iets vanzelfsprekends is. Wanneer deze oefeningen worden gevolgd door beloning en aanmoediging, wordt hun effect groter.

Biofeedback

Via de uroflowmeter en de echografie leert het kind welk gedrag welk effect heeft op zijn functioneren. Zo leert het snel welk nieuw gedrag effectief en adequaat is. Deze methoden zijn pijnloos en kunnen bij het verdere verloop van de therapie fungeren als positieve stimuleringen (= beloningen).

Leren spannen en ontspannen van de sluitspier: urogym

Via fysiotherapeutische oefeningen leert het kind zijn bekkenbodemspieren beheersen en controleren.

Verbeteren van de gevoeligheid

Vraagmethode

Om het uur moet het kind antwoorden op de vraag of het al dan niet moet plassen.

Beter leren voelen van het verschil tussen droog en nat

Bij natte broeken overdag moet het kind op vaste tijdstippen zeggen of zijn broek al dan niet nat is. Bij natte bedden moet het kind bij het slapengaan goed voelen aan de droge lakens. Bij het opstaan moet het kind ofwel goed voelen aan de natte lakens, ofwel goed voelen aan de droge lakens.

Droge-bedtraining (DBT)

Een aantal van de voorafgaande technieken vinden we gecombineerd terug in de droge-bedtraining voor kinderen met natte bedden. Deze benadering stelt dat wanneer kinderen meer verantwoordelijkheid krijgen over hun eigen gedrag, zij effectiever te behandelen zijn. In deze actievere vorm van behandelen zijn zowel zelfcorrectie als sociaal leren belangrijke componenten.
Deze training is gericht op het bereiken van de volgende doelstellingen:

a. Het verhogen van de wekdrempel door uitgebreide instructie, concentratie, inprenting.
b. Het kind goed wakker maken en het zo minder diep laten inslapen.
c. Het vergroten van de concentratie door de aanwezigheid van de plaswekker, wat tevens tot een feedback van het plaspatroon leidt.
d. Het onderbreken van de slaap na een ongelukje.

De belangrijkste onderdelen van dit programma zijn:

1. Het wekken van het kind als het in bed heeft geplast.
2. Het kind aansporen om naar het toilet te gaan (prompting).
3. Het stimuleren van het plassen op het toilet en van alle handelingen bij het naar het toilet gaan.
4. Overlearning: het geleerde bestendigen door 'over'leren zoals het extra drinken vóór het slapengaan.
5. Het kind leren om zichzelf te verschonen en het bewust laten worden dat het schoon is.
6. Het gebruik van de plaswekker.
7. Het verhogen van de gevoeligheid bij het kind voor de aandrang, voor het nat zijn.

In grote lijnen is deze behandeling op te splitsen in enerzijds een intensief trainingsgedeelte, en anderzijds de vervolgtraining, die geleidelijk minder intensief wordt. Bij een ongelukje krijgt het kind verbale afkeuring en moet het zelf zijn bed verschonen. Tijdens de 'hardwerkende nacht' (eerste nacht van de DBT waarin het kind om het uur wordt gewekt) moet het kind toiletoefeningen doen op het moment van het nat zijn. Na deze enerverende nacht blijft het kind de plaswekker gebruiken tot wanneer het vijftien dagen na elkaar droog is. Gedurende deze periode krijgt het kind bij een ongelukje verbale afkeuring en moet het de toiletoefeningen (door het kind een aantal malen na elkaar naar het toilet te sturen verkrijgt het de gewoonte naar het toilet te gaan) niet tijdens de nacht maar de avond nadien uitvoeren. De meeste kinderen vertonen een aanzienlijke verbetering ongeveer een week na de 'hardwerkende nacht'.

Cognitieve training

Deze methode kan zowel bij kinderen met natte bedden als met natte broeken worden aangewend. Net als de DBT bestaat deze methode uit een combinatie van een aantal technieken.
Het doel van deze training is het kind niet alleen te leren om regelmatig naar het toilet te gaan, maar het eveneens, via feedback en efficiënte stimuleringsschema's, te leren welke handelingen het precies moet verrichten om tot een adequaat toiletgedrag te komen. Kinderen trainen dit adequate gedrag en verwerven daardoor een optimale controle over hun blaas.
Kinderen leren hoe ze moeten plassen door het gebruik van de uroflowmeter en de echografie. Ze leren wanneer ze moeten plassen door ze regelmatig te vragen of ze aandrang voelen, en door het dragen van een alarmbroekje. Zo leren ze zich op een adequate wijze te concentreren op het gevoel van aandrang. En kinderen leren hoe vaak ze moeten plassen door de frequentie van het plassen te noteren, of door een plasschema te gebruiken.
Deze training is vooral geschikt voor die kinderen waarbij aparte technieken niet kunnen helpen, waarbij een meer totale aanpak wenselijk is. Deze kinderen moeten voldoende zelfcontrole verwerven om hun plasprobleem op te lossen.

Imaginaire strategieën

Sommige kinderen zijn zo gespannen door stressfactoren, of door hun geaardheid, of uit angst nat te zijn, of omdat ze niet graag naar het toilet gaan, dat zij leren om op een verkeerde, gespannen manier te plassen. Ook bij kinderen met blaasstoornissen kan het steeds weer falen zeer stresserend werken, waardoor ook zij zeer gespannen gaan plassen. Zo zullen kinderen met steeds terugkerende urinaire infecties een verkeerd plasgedrag aanleren, en zal dit verkeerde plasgedrag op zijn beurt leiden tot weerkerende urinaire infecties, blaas- en sluitspieroveractiviteit en reflux. Een meer drastische en dringende therapie is hier nodig. Imaginaire strategieën zijn in dat geval aangewezen. Zij leren het kind op een snelle en speelse wijze het verschil tussen spanning en ontspanning, en zij leren het tevens tot een gecontroleerde diepe ontspanning te komen. Deze zelfcontrole past het kind toe op zijn plasgedrag. Het gaat beter om met zijn plasdrang en het plast meer correct.

Aanvullende technieken

Systematische desensitisatie

Sommige kinderen willen absoluut niet naar een vreemd toilet, in het bijzonder het toilet op school, gaan. Ze zijn bang om ziek te worden, of om opgesloten te worden, of om bespied te worden door de andere kinderen. Dit leidt vaak tot een te lang uitstellen van het plassen, wat resulteert in een 'lazy bladder' (luie blaas). Systematische desensitisatie kan de angst van het kind verminderen. Desensitisatie betekent het minder gevoelig maken voor prikkels die angst of spanning opwekken. Dit gebeurt door deze prikkels te verbinden met prikkels of situaties die het kind ontspannen.

Algemene ontspanning

Deze verhoogt de controle over het lichaam.

Problemen en aangepaste strategieën

Te snel gaan plassen

a. Bij kinderen die te snel gaan plassen, is het mogelijk dat de blaas te klein is of te vlug signalen tot plassen (aandrang) geeft. Reeds bij geringe blaasvulling is er aandrang om naar het toilet te gaan. Dit gebeurt zeer frequent, waardoor ongelukjes onvermijdelijk zijn. Dat is bijvoorbeeld het geval bij kinderen voor wie de ouders moeten stoppen tijdens een lange autorit, of bij kinderen die op school hun plas niet kunnen ophouden tot het speelkwartier. Het plassen kan hierdoor gestoord verlopen: het kind kan de spanning niet meer loslaten en gaat persend plassen. Anderzijds kan persend plassen juist aanleiding geven tot een verkeerd gevoel van aandrang. De aandrang blijft bestaan. Het vergroten van de mogelijkheden van de blaas door blaastraining is dan de aangewezen methode.
Efficiënte stimulering en een accurate registratie, waardoor het kind leert waar en wanneer te plassen, zijn eveneens wenselijk. Bij hardnekkige plassers kan een alarmbroekje helpen.

Anderen, die door het frequente plassen een angst of een te gespannen houding hebben ontwikkeld, zullen eveneens baat hebben bij algemene ontspanningsoefeningen.

STOORNISSEN	STRATEGIEËN
Blaasvulling	
te snelle prikkel	blaastraining
te kleine blaas	efficiënte stimulering
Lediging	
verkeerde plaats	leren waar en wanneer te plassen

b. Soms kunnen organische problemen zoals hyperactiviteit van de blaaswand (een blaaswand die reeds bij een kleine hoeveelheid urine reageert) of een onvoldoende beheersing van de sluitspier (zoals bij kinderen met ophoudmanoeuvres, zoals gehurkt zitten, benen kruisen, benen toeknijpen, op de punt van een stoel gaan zitten), zorgen voor ongelukjes. Urogym, gericht op de controle en versteviging van de bekkenbodemspieren, biedt dan een oplossing. Veel drinken, de vraagmethode en de uroflow zijn nuttige oefenmethoden.

STOORNISSEN	STRATEGIEËN
Blaasvulling	
hyperactiviteit van de blaaswand	vraagmethode veel drinken
Lediging	
te frequente ophoudmanoeuvres	uroflow urogym

Te laat naar het toilet

a. De blaasvulling is hier geen signaal om naar het toilet te gaan en te plassen. Het kind heeft een ongelukje. De toilettraining, met name de positieve oefeningen, en de adequate stimulering door de omgeving leren het kind beter te reageren op signalen van de blaas. De volwas-

sene kan ook het kind attenderen op signalen van de blaas door op regelmatige tijdstippen te vragen of het moet plassen.
Soms kunnen ook een te geringe vochtinname en een ontbreken van een duidelijke plasroutine dit probleem in de hand werken. Een vast plas- en drankschema kan dan helpen. Het kind moet leren om aandacht te besteden aan zijn blaasvulling, en het moet leren om willekeurig te plassen op bepaalde tijdstippen, plaatsen en in bepaalde situaties. Indien nodig kan dit stap voor stap gebeuren, zodat het kind tot een accurate gedragsverandering komt (= shaping). Het startgedrag is een ander gedrag dan het doelgedrag. De verworven deelgedragingen worden reeds beloond.
De verschillende methoden samen, hoewel al naargelang van de specificatie van het probleem het accent op één methode kan worden gelegd, kunnen dit probleem oplossen.
Voor kinderen met natte bedden kunnen deze methoden onvoldoende doeltreffend zijn en zal de plaswekker een bijkomend hulpmiddel bieden.

STOORNISSEN	STRATEGIEËN
Blaasvulling	
geen stimulus	plas en drankschema
	positieve oefeningen
	verschoningsoefeningen
	shaping
	gevoeligheid verhogen
	plaswekker

b. Ook hier kunnen primaire of secundaire organische problemen, zoals een te weinig actieve blaaswand, een grote blaas, het niet volledig ledigen van de blaas, een te veel of te weinig spannen van de sluitspier... de plasproblemen veroorzaken of in stand houden. Feedback, een vast plas- en drankschema, het verhogen van de gevoeligheid en urogym kunnen dit probleem aanpakken. Efficiënte stimulering kan als aanvullende techniek nodig zijn. Voor sommige kinderen zullen algemene ontspanningsoefeningen het effect van de aangewende methoden vergroten.

STOORNISSEN	STRATEGIEËN
Blaasvulling	
grote blaas	plas- en drankschema
hypoactiviteit van de blaaswand	verschoningsoefeningen gevoeligheid verhogen
Lediging	
spannen van de sluitspier	uroflow, echografie urogym ontspanningsoefeningen
onvolledig ledigen	efficiënte stimulering

Problemen tijdens het plassen zelf

Bij problemen tijdens het plassen, zoals het niet volledig ledigen van de blaas, het niet in één vloeiende straal plassen, of het persend plassen, leert het kind meer controle te krijgen over zijn lozingsgedrag via feedback. Het kind kan zijn lozingsgedrag beoordelen en zien welk gedrag leidt tot een correcte lozing. Daarnaast kan het kind door urogym en ontspanning leren zijn bekkenbodemspieren zelf te sturen.

Overzicht

STOORNISSEN	STRATEGIEËN
Blaasvulling	
te snelle prikkel	blaastraining
te kleine blaas	efficiënte stimulering
hyperactiviteit van de blaaswand	vraagmethode veel drinken
Lediging	
te frequent	uroflow
ophoudmanoeuvres	urogym
verkeerde plaats	leren waar en wanneer te plassen

STOORNISSEN	STRATEGIEËN
Blaasvulling	
geen stimulus	plas- en drankschema positieve oefeningen
grote blaas	verschoningsoefeningen
hypoactiviteit van de blaaswand	shaping gevoeligheid verhogen
Lediging	
spannen van de sluitspier	uroflow echografie plaswekker
blaas niet volledig ledigen	urogym ontspanningsoefeningen
niet spannen van de sluitspier	efficiënte stimulering

Conclusie

Plasproblemen zijn zowel voor het kind zelf als voor het gezin waarvan het deel uitmaakt, zeer belastend en ze leiden vaak tot heel wat bijkomende problemen, zoals conflicten in het gezin, een negatief zelfbeeld bij de kinderen enzovoort.
Een aangepaste gedragstherapeutische behandeling kan kinderen helpen om hun plasproblemen op te lossen. Als kinderen beter inzicht krijgen in het functioneren van hun lichaam en ze hun blaas meer leren sturen, is de kans op zindelijk worden zeer groot.

Referenties

• J. Bosch, 'Functionele incontinentiestoornissen bij kinderen: enuresis en encopresis.' In: H. Orlemans, P. Eelen, W. Haaiyman (red.), 'Handboek Gedragstherapie', C.13.6, pp. 1-45, 1988.
• P. Tilton, 'Hypnotic Treatment of a Child with Thumb-sucking, Enuresis and Encopresis.', The American Journal of Clinical Hypnosis, 22, N°4, pp. 238-240, 1980.
• N. Van Broeck, 'Leertheorie en gedragstherapie in de behandeling van enuresis bij kinderen.' In: N. Van Broeck, J. Bosch, M. Duys en

J. Vande Walle, 'Zindelijkheidsproblemen bij kinderen en jongeren.', N.F.W.O. Rijksuniversiteit Gent, pp. 18-32, 1988.

- J.D. Van Gool, M. Vijverberg en T. De Jong, 'Functional daytime incontinence: clinical and urodynamic assessment.', Scandinavian Journal of Urological Nephrology - Supplement, 141, pp. 58-69, 1992.
- J.D. Van Gool, M. Vijverberg, A. Messer, A. Elzinga-Plomp en T. De Jong, 'Functional daytime incontinence: non-pharmacological treatment.', Scandinavian Journal of Urological Nephrology - Supplement, 141, pp. 93-103, 1992.

10 Bekkenbodemtherapie bij kinderen met plas- en stoelgangproblemen

Catherine Renson en Hilde De Paepe, bekkenbodemtherapeuten

Inleiding

Zoals in de vorige hoofdstukken uiteengezet, hebben heel wat kinderen met plas- en ontlastingproblemen te kampen met een onjuist gebruik van hun sluitspieren. Deze sluitspieren maken deel uit van een grotere spiergroep die we de bekkenbodem noemen. Bij heel wat kinderen met plas- en stoelgangproblemen zal een juist leren gebruiken van de bekkenbodemspieren dan ook belangrijk zijn bij de behandeling van hun problemen. Deze behandeling wordt gegeven door fysiotherapeuten of kinesisten en wordt bekkenbodemtherapie genoemd.
In dit hoofdstuk zullen we, na de beschrijving van de bekkenbodem en zijn functie, de verschillende soorten stoornissen van de bekkenbodem en de behandeling ervan uitvoerig bespreken.

De functies van de bekkenbodemspieren

De belangrijkste functie van de bekkenbodemspieren is het ondersteunen en afsluiten van de uitscheidingsorganen: de blaas en de endeldarm. Bij de vrouw ondersteunen ze bovendien de baarmoeder. Bij drukverhoging in de buikholte, zoals bij niezen, lachen, tillen en hoesten, is deze functie van groot belang. Bij onvoldoende werking van de spierfunctie kan er in deze gevallen verlies van urine of ontlasting optreden, evenals het lossen van darmgassen.
Naast de aanspanfunctie om problemen van verlies tegen te gaan, speelt de bekkenbodem ook een actieve rol bij het correct lozen van urine en ontlasting. De bekkenbodem moet op dat moment volledig ontspannen zijn. Bij een onvoldoende ontspanning gebeurt het plassen en ontlasten onvolledig, wat aanleiding kan geven tot urineresten in de blaas en tot ophoping van ontlasting in de endeldarm. Dit kan dan weer leiden tot urine- en ontlastingverlies.
De bekkenbodem beschikt dus over twee tegenovergestelde functies, met name het aanspannen en het loslaten, die noodzakelijk zijn om enerzijds lekkage van urine of ontlasting tegen te gaan, en anderzijds een vlotte lozing te bevorderen. Deze ingewikkelde functies van de bekkenbodem bij het plassen zijn weergegeven in figuur 32.

Ten slotte speelt de bekkenbodem ook een belangrijke rol bij de seksuele functie, en dit zowel bij mannen als bij vrouwen.
Om te plassen moet de bekkenbodem, die een dwarsgestreepte spier is, willekeurig worden gecontroleerd. Dit betekent dat we met onze wil bepalen hoe deze spier reageert. In het zindelijkheidsproces is het verwerven van deze willekeurige controle over de bekkenbodem dan ook essentieel. We zouden kunnen stellen dat de bekkenbodem het stuur is van ons plas- en ontlastingmechanisme.

Figuur 32: normale blaasfunctie

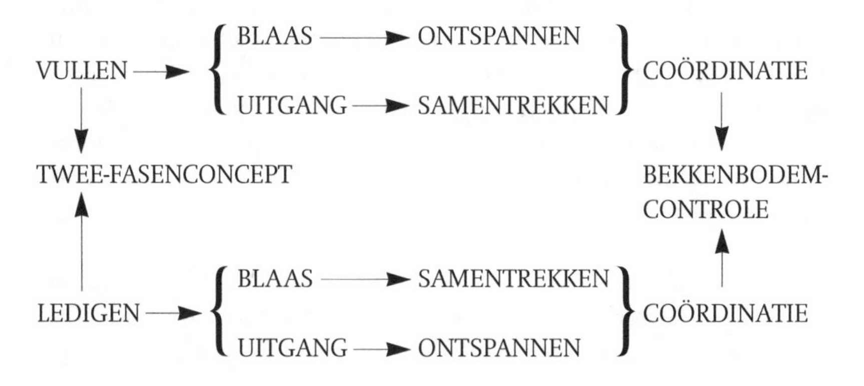

Legende bij figuur 32:
Terwijl de urine in de blaas loopt, wat we de vullingsfase noemen, moet de blaasspier zich ontspannen en moet de bekkenbodem zich sluiten. Deze tegengestelde functies gebeuren gelijktijdig. Bij het plassen moet de blaasspier zich spannen en moet de sluitspier zich terzelfdertijd ontspannen. De coördinatie tussen blaasspier en bekkenbodem is dus essentieel voor een normale blaasfunctie. De willekeurige bekkenbodemcontrole is de enige manier waarop we met onze wil de blaasfunctie kunnen beïnvloeden.

Hoewel dit een eenvoudige functie lijkt, is ze complexer dan de hartfunctie. Waar het bij de hartfunctie slechts om één soort spierweefsel gaat dat door twee zenuwstelsels wordt gestuurd, is er bij de blaasfunctie sprake van twee verschillende soorten spierweefsels, namelijk glad spierweefsel voor de blaaswand en dwarsgestreept spierweefsel voor de bekkenbodem. Deze twee verschillende weefsels worden bovendien gestuurd door drie verschillende zenuwstelsels. Hiervan zijn twee zenuwstelsels niet door de wil beïnvloedbaar en dus niet te trainen via een bekkenbodembehandeling. Eén zenuwstelsel is echter wel willekeurig en kan bijgevolg worden beïnvloed via bekkenbodembehandeling.

Bekkenbodembehandeling bij plasproblemen

Toilethouding

De eenvoudigste manier om de bekkenbodemfunctie gunstig te beïnvloeden, is een juiste houding op het toilet. Deze behandelingsmethode is toegankelijk voor iedereen en om het even waar.
Kinderen nemen vaak te weinig tijd om te plassen. Daardoor wordt het plasgebeuren niet in ontspannen toestand uitgevoerd. Het aantrekkelijk maken van de toiletruimte kan helpen om het kind een langere periode op het toilet te laten doorbrengen. Het is dan ook belangrijk om kinderen vanaf het begin van het zindelijk worden de gewoonte bij te brengen om voldoende tijd op het toilet door te brengen. Belangrijk is ook dat de kinderen een ontspannen houding op om het even welk toilet leren aannemen. Vanuit de opvoeding wordt aan kinderen vaak verteld dat ze niet op vreemde toiletten mogen gaan, maar dat ze dienen te wachten tot ze thuis zijn. Deze houding draagt een groot risico in zich van het ontwikkelen van een uitgerekte blaas, omdat de kinderen te lang leren ophouden.
Ontspannen plassen staat ook voor plassen zonder te duwen, met andere woorden zonder te persen met behulp van de buikspieren. Bij het persen spant de bekkenbodem zich immers automatisch, wat een beveiliging is tegen onwillekeurig urine- en stoelgangverlies. Kinderen laten plassen door hen aan te moedigen te gaan persen, is een totaal verkeerde manier om te leren plassen. Belangrijk om het persen bij het plassen te voorkomen, is het aanleren van een juiste toilethouding. Een goede ontspannen houding, waarbij de voeten gesteund worden door een bankje zodat er bij de knieën een rechte hoek wordt gevormd met de dijen, zorgt ervoor dat er zo weinig mogelijk kan worden geperst tijdens het plassen. Bovendien moeten de dijen worden gespreid om een juiste ontspanning van de bekkenbodem te verkrijgen. Uitgebreide studies hebben aangetoond dat een zittende houding op het toilet zonder steun van dijen en voeten, de spanning in de bekkenbodem doet toenemen, en dat de kans op het ontwikkelen van een persbeweging toeneemt.
De ideale toilethouding is dus zowel bij jongens als bij meisjes een zittende houding met een rechte rug, waarbij de voeten gesteund en de dijen gespreid zijn (zie fig. 33).

Fysiotherapeutische/kinesitherapeutische behandelingstechnieken

De fysiotherapeutische/kinesitherapeutische behandeling voor blaasfunctiestoornissen bestaat uit verschillende onderdelen. Deze onderdelen worden nu afzonderlijk besproken.

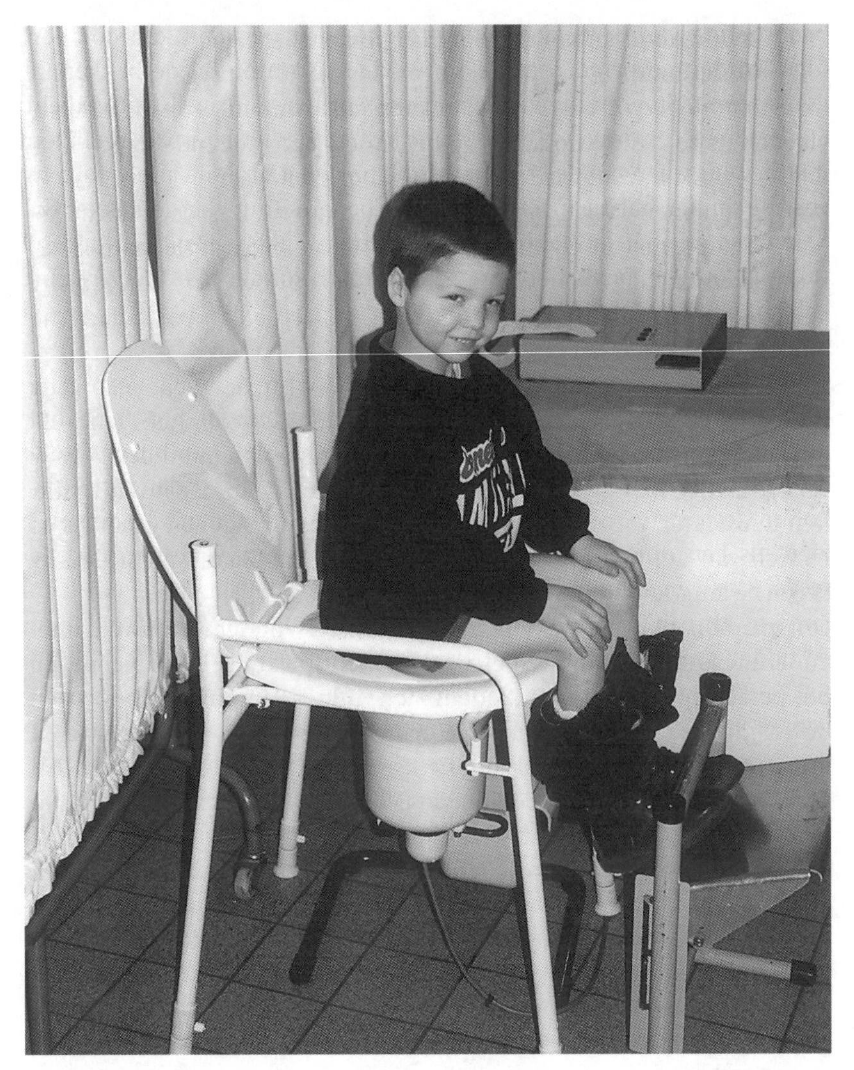

Figuur 33

Beoordeling van de bekkenbodemactiviteit met de hand

Om kinderen op de juiste manier de bekkenbodem te leren spannen en ontspannen, moet de therapeut kunnen beoordelen wanneer en in welke mate de spanning en ontspanning plaatsvindt. De beste manier om dit te doen, is door twee vingers uitwendig dwars op de bekkenbodem te plaatsen en dan aan het kind te vragen om te doen alsof het een plas wil ophouden. Op die manier kan aan het kind duidelijk worden gemaakt dat deze beweging het spannen van de bekkenbodem is. Daarna kan worden gevraagd om de bekkenbodem weer te ontspannen, zodat aan het kind kan worden verteld dat dit het gevoel is dat gepaard gaat met de ontspanning van de bekkenbodem. Via deze beoordeling van de bekkenbodemfunctie met de hand kan ook een idee worden gevormd over de aanwezige spanning bij de bekkenbodemspieren. Spieren die vaak gebruikt worden, zijn sterk ontwikkeld en vertonen continu een hoge spanning. Dit is het best te vergelijken met de buigspier van de bovenarm, die bij een getrainde atleet zelfs in rust bijzonder hard aanvoelt. Via deze beoordeling van de bekkenbodemactiviteit met de hand kan ook worden nagegaan of het kind in staat is om de bekkenbodem te spannen zonder dat het daarbij gebruik maakt van buik- of bilspieren.

Biofeedback-training

Een biofeedback-training is een training waarbij een proces in het lichaam zichtbaar of hoorbaar wordt gemaakt. Men kan bijvoorbeeld de spieractiviteit omzetten in een elektrisch signaal dat dan een lichtkolom activeert. Op deze manier kan men het spannen van de spier zien als een oplopende lichtkolom, terwijl het ontspannen van de spier met een neergaande lichtkolom gepaard gaat. Hierdoor kan iemand die een proces dat onbewust in zijn lichaam plaatsvindt, zien en onder controle proberen te krijgen.

Bij bekkenbodemtherapie wordt een kleine stift in de anusopening gebracht. Deze stift meet de activiteit van de bekkenbodemspier en zet deze om in een lichtactiviteit. Bij kinderen met plasproblemen wordt dan gevraagd om de lichtkolom eerst kort omhoog te brengen (spannen van de bekkenbodem), en deze daarna naar beneden te brengen (ontspannen) en langdurig beneden te houden. Op die manier leren de kinderen de bekkenbodem voldoende lang te ontspannen. Veel kinderen hebben een te actief ontwikkelde bekkenbodem en zijn niet in staat deze goed te ontspannen terwijl ze plassen. Door via de lichtkolom een beter begrip te krijgen van het spannen en ontspannen van de bekkenbodem, kunnen ze proberen deze aangeleerde vaardigheid toe te passen tijdens het plassen.

Plaskalender

De beste manier om de blaasfunctie in kaart te brengen, is het noteren van de plasjes. Hierbij kan zowel het tijdstip als de grootte van de plas worden vermeld. Daarvoor kunnen speciaal ontwikkelde plaskalenders worden gebruikt (zie fig. 34). Op die manier krijgen de kinderen inzicht in het functioneren van hun blaas, en krijgen ook de therapeuten een idee van de wijze waarop een kind met zijn blaas kan omgaan.

Op deze plaskalender kan het kind het uur van plassen, het plasvolume, de hoeveelheid vocht die het heeft gedronken, het aantal 'natte nachten' en het aantal natte broeken overdag noteren. Deze plas-

PLASKALENDER / DRINKSCHEMA

Naam : ....

Week	DAG 1	DAG 2	DAG 3	DAG 4	DAG 5	DAG 6	DAG 7
Datum	....../......	....../......	....../......	....../......	....../......	....../......	....../......
's Nachts							
's Morgens							
Speeltijd							
's Middags							
Speeltijd							
Vieruurtje							
's Avonds							
Voor het slapengaan							
Opmerking Medicatie							

's Nachts : * droog =  * nat =

Overdag : * plassen = **X**  **of ...... ml**

* nat broekje (**1** : enkele druppels / **2** : volledig nat) = **NB1/2**

* 1 glas / tas drinken =

Figuur 34

kalender neemt een belangrijke plaats in bij het opsporen van de reden waarom het kind nog problemen heeft van urineverlies.
Deze plaskalender kan ook toegepast worden als behandelingsmethode. In dit geval wordt er aan de kinderen met een kleine blaasinhoud gevraagd om regelmatig hun plas te meten en het volume te noteren. Zodoende verkrijgt de therapeut een mooi overzicht wat betreft de mogelijke toename van het blaasvolume. Daarnaast kan een therapeut ook raadgevingen geven die dan kunnen worden toegepast met behulp van een plaskalender. Zo kan op voorhand worden bepaald hoeveel drank het kind moet innemen en op welke tijdstippen het best gaat plassen.

Biofeedback-uroflowmeter

De uroflowmetrie omvat het elektronisch bepalen van de hoeveelheid plas per tijdseenheid, wat wordt uitgedrukt in aantal milliliter per seconde. Dit is een zeer goede opsporingsmethode voor een gestoord plasgedrag, zoals bijvoorbeeld het ledigen van de blaas met behulp van de buikpers.
De uroflow kan eveneens worden toegepast als behandelingsmethode, waarbij de flowmeter dan wordt gekoppeld aan een biofeedback-toestel. Dit heeft als voordeel dat het kind tijdens het plassen de plascurve kan waarnemen en deze kan bijsturen indien nodig.

Blaasbiofeedback (fig. 35)

Deze therapievorm heeft tot doel de blaasinhoud te vergroten door middel van het oprekken van de blaas. Deze behandelingsmethode wordt voornamelijk toegepast bij kinderen die te kampen hebben met een hardnekkig klein blaasvolume. Hierbij maakt de therapeut gebruik van een blaassonde (catheter) die wordt verbonden met enerzijds een holle buis en anderzijds een waterreservoir (infuus). Via de blaassonde wordt de blaas geleidelijk aan gevuld met vloeistof, afkomstig uit het waterreservoir. Tijdens het vullen kan de blaas plotseling gaan samentrekken, wat een drukstijging veroorzaakt met als gevolg dat er een vloeistoftoename optreedt in de holle buis. Bij een stijging van de vochtkolom in de holle buis wordt het kind aangemoedigd om de plasdrang tegen te houden door de bekkenbodem aan te spannen. Op die manier wordt het kind aangeleerd hoe het zijn blaasfunctie kan sturen.

Bekkenbodembehandeling bij ontlastingproblemen

Stoornissen van het ontlastingpatroon bij kinderen kunnen worden veroorzaakt door een teveel aan spanning in de bekkenbodemspieren en in mindere mate door een te zwakke bekkenbodem.

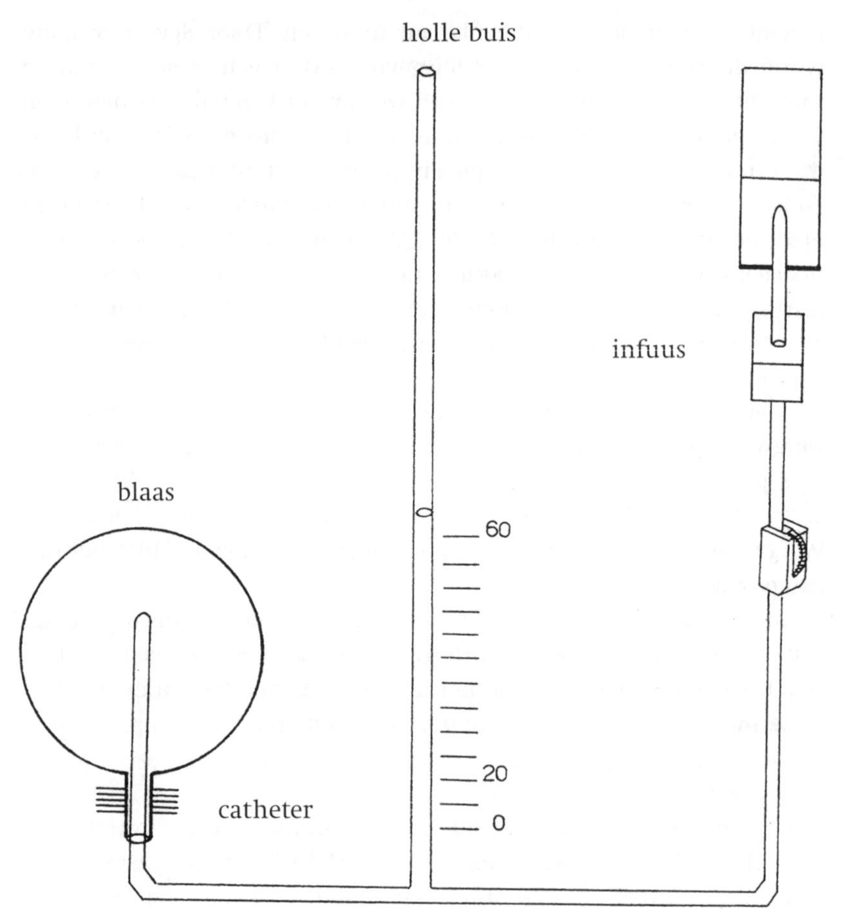

Figuur 35

Bij een aantal kinderen is de training gericht op het versterken van de bekkenbodem. Dit is het geval bij kinderen met een aangeboren afwijking bij de darmuitgang, en eveneens bij kinderen met een verzwakte anale kringspier ten gevolge van een stoornis in de bezenuwing van deze spier.
Deze kinderen hebben vaak te kampen met verlies van vaste of vloeibare ontlasting, of van darmgassen. Dit verlies kan optreden tijdens een inspanning, bijvoorbeeld bij hoesten of lopen, en kan gepaard gaan met een gevoel van aandrang.
Bij een grote groep kinderen berust de stoornis van het stoelgangpatroon op een te hoge spanning van de bekkenbodemspieren. Deze kinderen ontspannen de bekkenbodem en de kringspier ter hoogte van de darmuitgang onvoldoende, of spannen deze spieren zelfs tijdens de stoelgang, met als gevolg dat er een onvolledige lediging van de darm optreedt. De achterblijvende ontlasting verhardt, kan zich gaan opho-

pen en na een poos de darm doen uitzetten. Door deze ophoping wordt de uitgezette darm minder gevoelig voor een volgende vulling met ontlasting. In dit geval spreken we van verminderde gevoeligheid van de endeldarm. Nieuwgevormde, minder vaste ontlasting kan langs de harde ontlasting heenlopen en veroorzaakt overloopdiarree. Als gevolg hiervan kan het kind vuile vegen in het broekje hebben. In ernstige gevallen kan dit zelfs leiden tot het verlies van een grotere hoeveelheid ontlasting. Bij deze kinderen is het produceren van ontlasting vaak een pijnlijke aangelegenheid. Zij kunnen alleen door persen de harde massa verwijderen, met prikkeling van de aarsopening als gevolg, wat dan weer een pijnlijke lediging veroorzaakt. Bij een aantal kinderen trekt de kringspier zich onwillekeurig samen, wat een pijnlijk krampachtig gevoel met zich meebrengt.

Toilethouding

We raden jongens en meisjes met een darmstoornis aan driemaal daags na de hoofdmaaltijden een tiental minuten in een ontspannen houding op het toilet te zitten. Bij een gevulde maag zal ook de natuurlijke darmbeweging immers optimaal verlopen en heeft het kind de meeste kans om ontlasting te kunnen lozen. Bij kleine kinderen wordt een bankje of steun onder de voeten geplaatst zodat de gespreide dijen iets hoger komen dan de heupen. Het is de bedoeling om een hurkzithouding na te streven en zo het persen te stimuleren (zie fig. 36), dit in tegenstelling tot de ideale plashouding waarbij de dijen horizontaal gesteund dienen te worden door de wc-bril en persen absoluut verboden is. De romp blijft licht naar voren gebogen.

Ontlasting- en drankschema (fig. 37)

Net zoals bij het invullen van een plaskalender moet het kind een dagboek bijhouden van zijn drankinname en stoelgangpatroon. Uit dit schema kan de therapeut afleiden of het kind met voldoende regelmaat ontlasting produceert en hoeveel keer er vuile broekjes voorkomen. Een adequate vochtinname is noodzakelijk om te vermijden dat de darminhoud zich indikt en bijgevolg de doorgang bemoeilijkt.

Oefeningen met behulp van controle met de hand

Deze oefeningen hebben als doel het kind een goede bewustwording bij te brengen omtrent het spannen en ontspannen van de bekkenbodem. Ze worden zorgvuldig aangeleerd onder controle met de hand, zodat het kind de bekkenbodem leert samentrekken zonder de bijkomende activiteit van bepaalde spiergroepen, zoals buik- en bilspieren. Het kind wordt in zijlig geplaatst en de therapeut brengt een of twee vingers uitwendig op de bekkenbodem aan en controleert en beoor-

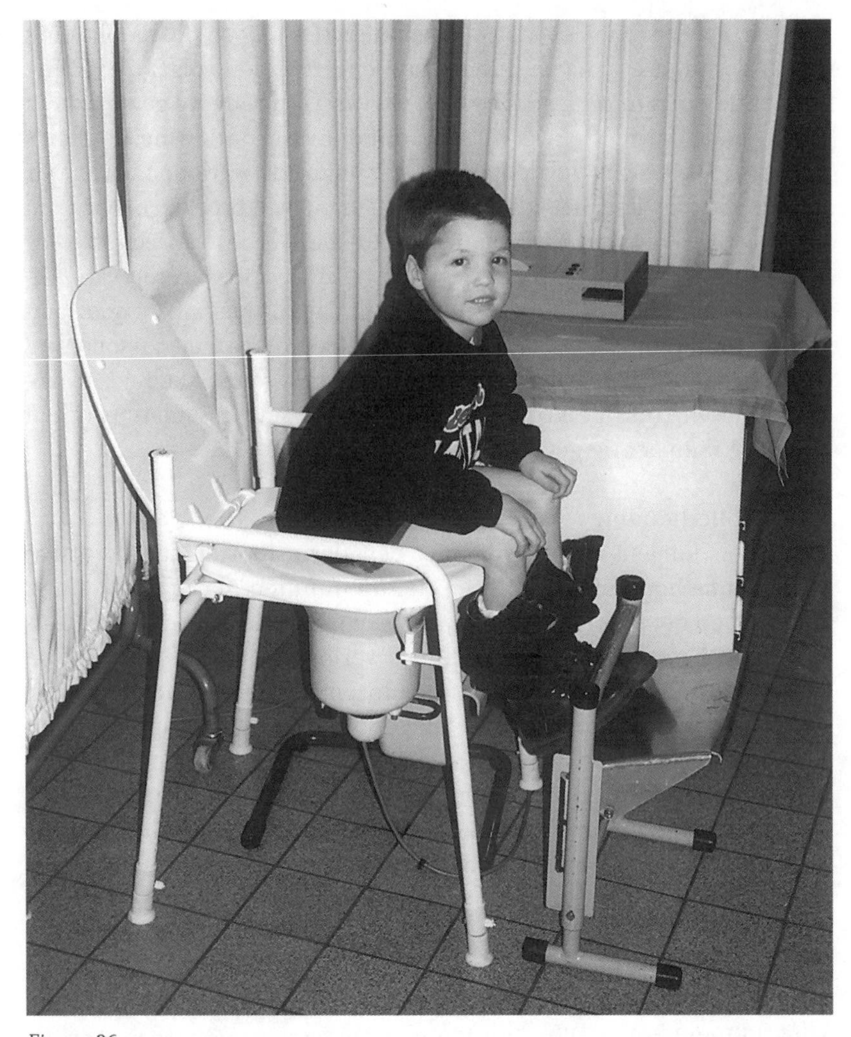

Figuur 36

deelt de kracht van aanspannen en de graad van ontspannen van de spieren. Deze controle kan de therapeut ook uitvoeren bij de kringspier en hiertoe plaatst hij een vinger in de anale opening.

Biofeedback-training

Deze biofeedback-training wordt gebruikt om een betere bewustwording en willekeurige controle te krijgen over de werking van de kringspier. Afhankelijk van het doel kan bij deze training de nadruk liggen op het leren ontspannen ofwel op het versterken van de bekkenbodemspieren. Het kind wordt ontspannen in zijlig geplaatst en een kleine stift wordt anaal ingebracht. De spierwerking wordt omgezet in een elektrisch signaal en weergegeven aan de hand van een lichtbalk op

STOELGANGPATROON / DRINKSCHEMA

Naam : ....

Week	DAG 1	DAG 2	DAG 3	DAG 4	DAG 5	DAG 6	DAG 7
Datum	....../......	....../......	....../......	....../......	....../......	....../......	....../......
's Nachts							
's Morgens							
Speeltijd							
's Middags							
Speeltijd							
Vieruurtje							
's Avonds							
Medicatie ? Consistentie ? Hoeveelheid ?							

Week	DAG 1	DAG 2	DAG 3	DAG 4	DAG 5	DAG 6	DAG 7
Datum	....../......	....../......	....../......	....../......	....../......	....../......	....../......
's Nachts							
's Morgens							
Speeltijd							
's Middags							
Speeltijd							
Vieruurtje							
's Avonds							
Medicatie ? Consistentie ? Hoeveelheid ?							

Toilet zitten 3x per dag na de maaltijd = ●

Stoelgang op het toilet =  X

Vuil broekje =  VB 1/2
VB1 : vuile vegen **VB2** : pak in de broek

Vochtinname - 1 glas / tas drinken =

Figuur 37

het toestel. Deze lichtbalk verschaft het kind informatie omtrent de spanningsgraad van de sluitspier: bij aanspannen stijgt de lichtkolom, bij een voldoende ontspanning slaagt het kind erin om deze lichtkolom vrijwel te doven.
Kinderen met constipatie leren we in de eerste fase de bekkenbodem bewust te ontspannen, om dan in de tweede fase deze ontspanningsgraad aan te houden tijdens het uitpersen van de darminhoud.

Elektrostimulatie

Het elektrisch stimuleren van de bekkenbodem wordt bij kinderen zelden toegepast. Elektrostimulatie wordt toegepast bij een zwakke bekkenbodem om het kind bewust te maken van de te gebruiken spieren, en om deze spieren weer te leren spannen en te versterken. Een voorwaarde hiervoor is dat de bezenuwing van de bekkenbodemspieren normaal is. Bij elektrostimulatie wordt een samentrekken van de bekkenbodemspieren uitgelokt, en dit gebeurt absoluut beneden de pijngrens.

Ballontraining

Deze training wordt toegepast bij kinderen met een gestoorde gevoeligheid van de darm. De stoelgangaandrang is hier verminderd of volledig verdwenen, waardoor het kind te laat of helemaal niet aanvoelt wanneer het ontlasting moet lozen. Hierbij wordt een opblaasbare ballon luchtledig ingebracht in de darmopening, ongeveer op 2 centimeter diepte. Dan wordt langzaam een bepaald volume lucht ingeblazen. Het ingeblazen volume hangt af van de gevoeligheid van het kind. Indien de hoeveelheid lucht niet goed wordt aangevoeld, wordt er meer lucht ingebracht. Het inbrengen en vullen van de ballon gebeurt heel geleidelijk en mag absoluut niet pijnlijk zijn.

Besluit

Bekkenbodemtherapie bij kinderen met plas- en ontlastingproblemen vereist een goede samenwerking tussen arts, kind en therapeut. De vertrouwensrelatie tussen het kind en de therapeut is van essentieel belang. Naast dit nodige vertrouwen moeten de ouders en het kind in voldoende mate zijn voorbereid op een langdurige oefentherapie. De resultaten komen niet altijd even vlot en zijn onderhevig aan gemoedsveranderingen of vermoeidheden bij het kind.
Als met bovenvermelde factoren rekening kan worden gehouden, mondt de therapie meestal uit in een positieve behandeling van de blaas- of darmstoornis. Hierdoor openen er zich voor het kind en zijn

omgeving nieuwe horizonten en kan men de toekomst vol vertrouwen tegemoettreden.

Bronvermelding

• P. Hoebeke, J. Vande Walle, C. Renson, M. Theunis, 'Als droog worden een probleem is.', Uitgave 5th Floor, Gent 1995.
• H.M. Wennergen, B.E. Öberg, P. Sanstedt, 'The importance of leg support for relaxation of the pelvic floor muscles.', Scandinavian Journal of Urological Nephrology, 25, pp. 205-213, 1991.

11 De plasschool

Marleen Theunis en Eline Van Hoecke, kinderpsychologen;
Johan Van Daele, verpleegkundige

Wat kunnen we nog doen?

In bepaalde situaties of op bepaalde momenten zien ouders of artsen of andere hulpverleners het niet meer zitten. Ondanks vele inspanningen wordt het kind niet zindelijk. Hoewel het soms eventjes beter ging, blijft zijn bed of broek steeds weer nat. Na deskundig overleg tussen de teamleden onderling en tussen de ouders en het team kan de plasschool een oplossing bieden. De plasschool leert het kind hoe te plassen, en hoe met zijn plasprobleem om te gaan. Kinderen leren de signalen van hun blaas adequater waar te nemen en hun plasgedrag beter te controleren. De plasschool bevindt zich in het ziekenhuis. Het gaat hier om een intensief leerproces waarbij de verschillende disciplines nauwkeurig samenwerken. Het is duidelijk dat deze methode alleen wordt toegepast als uiterste middel.

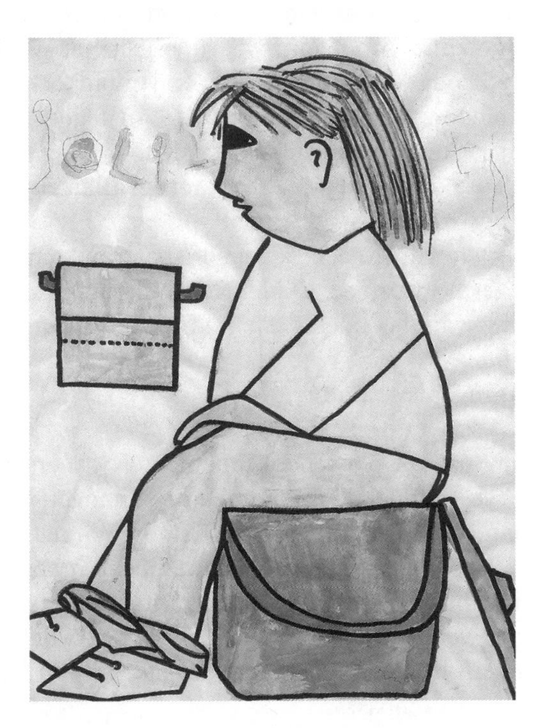

Figuur 38

Welke kinderen kunnen we helpen met de plasschool?

• Kinderen bij wie het plasprobleem zo complex is dat er geen andere oplossing is dan een intensieve training. Dit is bijvoorbeeld het geval bij kinderen bij wie de behandeling een zeer intense en frequent beoefende urogym vereist.
• Kinderen bij wie om medische redenen, zoals steeds terugkerende urineweginfecties of reflux, een intensieve en spoedige therapie noodzakelijk is.
• Kinderen die al duizendenéén therapieën volgden zonder resultaat, bij wie een nieuwe mislukking echt niet meer kan!
• Oudere kinderen die zo snel mogelijk zindelijk moeten worden. Ook bij hen is een mislukking uit den boze.
• Kinderen met een motivatieprobleem: enerzijds degenen die heel erg gemotiveerd zijn en die bijna voortdurend met hun probleem bezig zijn, en anderzijds degenen die ervan uitgaan dat er aan hun probleem helemaal niets te doen valt, of die hun probleem hardnekkig ontkennen. Ook al plassen deze laatsten reeds jaren in hun broek of bed, zij blijven doen alsof hun plasprobleem niet bestaat. Dit is lastig voor de ouders, maar ook voor de kinderen zelf. Toch is dit een manier waardoor zij met hun probleem verder kunnen leven. Een opname betekent voor deze kinderen een voortdurende confrontatie met hun probleem, waardoor zij het duidelijk leren onderkennen en zo beter gaan inzien wat zij eraan kunnen doen. De motivatie en medewerking worden groter, in tegenstelling tot de ambulante begeleiding, waarbij het kind door de tijdsintervallen tussen twee afspraken steeds weer kan terugvallen in zijn gedemotiveerde houding.
• Kinderen bij wie thuis geen adequate structuur aanwezig is, bijvoorbeeld als gevolg van een te kleine behuizing of een te drukke beroepsbezigheid van de ouders.

Het trainingsprogramma

Voordat een kind naar de plasschool kan, moeten we eerst weten of het kind beschikt over voldoende verstandelijke vermogens om zinvol en doeltreffend aan het programma deel te nemen. Wil het kind leren en ook resultaat boeken op de plasschool, dan moet het begrijpen wat er gebeurt in zijn lichaam, waartoe de feedback-toestellen dienen, hoe al het geleerde stap voor stap deel wordt van zijn eigen lichaam en handelen. Pas dan kan het kind trainen, zodat het dat wat het leert, ook automatisch en juist toepast.

De organisatie is te vergelijken met de schoolsituatie, met de leerling-leraarrelatie. Elementen als toepassing, competitie, oefening en beoordeling zijn dan ook vertrouwde zaken. Medisch ingrijpen en onderzoeken zijn tot een minimum beperkt en meer ingrijpende handelingen gebeuren niet tijdens de opname. Opdat het kind dat wat het geleerd heeft in het ziekenhuis, ook spontaan in het dagelijkse leven zal toepassen, proberen we in het ziekenhuis zoveel mogelijk een normale, dagelijkse situatie te creëren. De schoolse activiteiten nemen een belangrijke plaats in gedurende de dag. Bezoek is pas toegestaan na schooltijd.
Wanneer een kind geschikt is bevonden voor het trainingsprogramma, volgt een opname van 12 dagen samen met een trainingsgenootje van dezelfde leeftijd, dit onder leiding van een vaste trainster. Deze trainster is een kinderpsychologe en zij zal vanuit een gedragstherapeutisch kader het kind helpen om tot een juiste gedragsverandering te komen, waarbij de verschillende deelvaardigheden één gedrag zullen vormen. De verpleegkundigen vervullen een essentiële rol in het programma.
Als voorbereiding op de plasschool brengen het kind en de ouders vooraf een bezoek aan de 'short-stay-afdeling'. Dit bezoek gebeurt meestal tijdens een voorbereidende consultatie bij de behandelende arts, of bij de kinderpsycholoog, of bij de fysiotherapeut. Het kind kan zo op een ontspannende, niet bedreigende wijze kennismaken met de afdeling en het team verpleegkundigen. Tijdens dit bezoek mogen het kind en zijn ouders allerlei vragen stellen zoals: 'Waar zal ik slapen?', 'Wat mag ik allemaal meebrengen?', 'Mag ik 's avonds naar mama of papa bellen?', 'Wie mag er op bezoek komen?'... Zo kan het kind zich heel concreet op de komende opname voorbereiden. Dit vergroot de motivatie en medewerking.
Ook voor de ouders is dit niet zomaar een bezoekje. Zij krijgen de kans te overleggen met diegenen die hun kind ongeveer twee weken onder hun hoede zullen nemen. Respect voor de opvoedkundige principes en voor de gewoonten vergroot het vertrouwen.
Tijdens de opname helpen de verpleegkundigen de kinderen bij het trainen. Zij stimuleren de kinderen en helpen hen zichzelf te observeren en beoordelen. Bovendien zorgen zij ervoor dat een optimale werksfeer wordt gecreëerd en dat de kinderen zich thuis voelen op de plasschool. Via de training leren de kinderen hun plasgedrag bewust te sturen en wordt er aandacht besteed aan de manier waarop een kind plast. Alle manieren van plassen worden zichtbaar gemaakt met een uroflowmeter die de urinestroom optekent, zodat de kinderen zelf hun afwijkingen kunnen zien op een grafiek. Zo kunnen zij zelf hun plasgedrag corrigeren. Door de ervaringen van het plasgedrag te ver-

binden aan een al dan niet juiste plasgrafiek, leren zij zo goed mogelijk een juist plaspatroon te benaderen. Wanneer kinderen eenmaal doorhebben wat de juiste manier van plassen is, vindt er een betere lediging van de blaas plaats en is er bijvoorbeeld minder kans op het steeds weer terugkomen van urineweginfecties.
De feedback-mechanismen zijn doeltreffend om het kind inzicht te geven in zijn eigen plasgedrag, en om het kind tijdens de therapie te leren zijn eigen vooruitgang te beoordelen. Het kind ziet wanneer het juist plast. Deze beoordeling van zichzelf is essentieel voor het verwerven van zelfcontrole bij kinderen. Pas dan kunnen kinderen zichzelf belonen en komen zij tot een effectief leerproces.
Bovendien hebben deze feedback-mechanismen, met name de uroflowmeter en de echografie, het voordeel dat zij niet invasief zijn (niet in het lichaam ingrijpen): er komen geen catheters bij te pas.
Kinderen die nog in hun bed plassen leren tijdens de training hun wekdrempel te verlagen door middel van concentratieoefeningen. In het begin leren zij op een juist moment, namelijk bij een normale aandrang, wakker te worden. Het wakker worden zal hen vervolgens helpen om door te slapen door juist te reageren op die aandrang, namelijk door de aandrang te doen stoppen tijdens de slaap. Hiervoor moeten zij oefeningen doen die soms wat barbaars lijken. De eerste nacht bijvoorbeeld worden de kinderen ieder uur wakker gemaakt om te plassen. Het geheel van de verschillende technieken wordt de droge-bedtraining genoemd. In de plasschool vullen wij deze droge-bedtraining nog aan met andere technieken, zodat het kind heel bewust de controle verwerft over zijn eigen plasgedrag en plasprobleem.

Voornaamste elementen van de intensieve training

- Duidelijk inzicht in de problematiek.
- Eigen gedrag op nauwkeurige en consequente wijze leren registreren.
- Eigen signalen onderkennen.
- Leren hoe, wanneer en hoe vaak te plassen.
- Frequent oefenen van het juiste gedrag.
- Controle over het eigen lichaam verwerven en zelfbeloning inschakelen.
- Zelfstandig toepassen van het geleerde.

De eerste dagen van de training gaan de kinderen heel grondig op hun probleem in. Samen met de kinderpsycholoog beschrijven zij hun probleem in hun eigen taal en proberen ze die aspecten van hun pro-

bleemgedrag te specifiëren die moeten worden veranderd. Urinestraal, stroomsnelheid, 'leegplassen' zijn belangrijke begrippen. Het kind krijgt inzicht in de eigen problematiek.
Op basis hiervan bespreekt de therapeut samen met de kinderen wat zij tijdens de opname kunnen en willen bereiken. Op kortere termijn stelt het kind in overleg met de trainster subdoelstellingen op. Leuke activiteiten zijn verbonden aan het bereiken van deze doelstellingen.
Het kind moet om het uur drinken en moet telkens noteren wanneer het naar het toilet gaat. Door veel te drinken en door de vraagmethode, die eruit bestaat om het uur aan het kind te vragen of het moet plassen, leert het kind aandrangsignalen te onderkennen.
Via dagelijkse oefeningen en feedback, en het bewust leggen van het verband tussen beide, leert het kind het juiste gedrag aan. Tevens leert het kind ook andere facetten kennen, zoals het omgaan met spanning, met angsten. Bij dit laatste, maar ook bij het lozen zelf, is ontspanning doeltreffend. Het kind kan beter met zijn spanning of angst omgaan en zal beter in een vloeiende ononderbroken straal kunnen plassen.
Wat de kinderen geleerd hebben tijdens de urogym, integreren zij tijdens de oefenmomenten bij de kinderpsycholoog. Zij geven weer wat spanning en ontspanning is en leren de verschillende gradaties van spanning en ontspanning te onderscheiden, om dit vervolgens toe te passen op de sluitspier en bekkenbodemspieren.
Tijdens deze intensieve training is het belangrijk dat wat het kind heeft geleerd, blijft, en dat het het geleerde toepast in het dagelijkse leven. Het is daarbij van belang aan te sluiten bij de leefwereld van het kind. Zo krijgt het kind de kans bepaalde vrijetijdsactiviteiten voort te zetten of te betrekken bij de training, of mag het een eigen verhaal maken dat als een rode draad door de therapie loopt. Daarnaast moet het kind leren zichzelf op een juiste wijze te beoordelen, en zichzelf naargelang deze beoordeling te belonen. Pas wanneer het kind hiertoe in staat is, is de kans op blijvend succes groot. Elke dag is er dan ook een beoordelingsmoment waarop gezamenlijk het verloop van de dag en de gemaakte vorderingen worden bekeken.
Tweemaal per week is er een overlegmoment met de ouders, zodat ook zij weten wat hun kinderen zo allemaal doen tijdens de opname. Zij geven hun kind immers uit handen en moeten volledig vertrouwen op het enuresis-team.
Feedback speelt een cruciale rol bij het aanleren aan het kind hoe het moet plassen. Het kind plast op regelmatige tijdstippen op een uroflow, zodat het zijn gedrag in verband kan brengen met de urinestraal. Tweemaal na een plas controleert de arts met een echografie of het kind zijn blaas leeg heeft geplast.

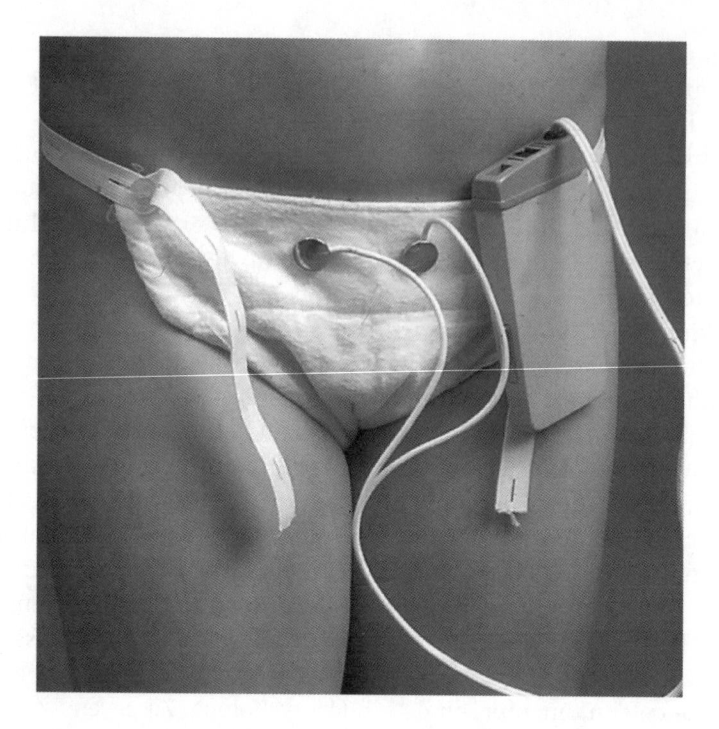

Figuur 39

Alarmmateriaal zal het kind leren juist te reageren op aandrangsignalen. Kinderen die het nog in hun broek doen, dragen een alarmbroekje gedurende de dag. Kinderen die nog dagelijks in hun bed plassen gebruiken de plaswekker (fig. 39). Beide hulpmiddelen passen in het programma.
Het kind noteert zijn eigen plasfrequentie en -volume op zelfgemaakte registratiebladen (fig. 40). Tijdens het verloop van de training zal het kind leren hoe deze op de juiste wijze te maken. Zo zal een kind met een klein blaasvolume door urineretentie de blaas moeten vergroten, en zal een kind met een luie blaas de plasfrequentie moeten verhogen. De registratie geeft de vorderingen van het kind weer.
Kinderen die tijdens de nacht nat zijn, leren eerst correct te plassen overdag om vervolgens tot een droge-bedtraining over te gaan. Wat bewust werd aangeleerd overdag, zal de onbewuste controle tijdens de nacht bevorderen. De plaswekker helpt het kind juist te reageren op aandrang tijdens de nacht. Voor kinderen die het nog in hun broek doen zijn de alarmbroekjes goede hulpmiddelen.

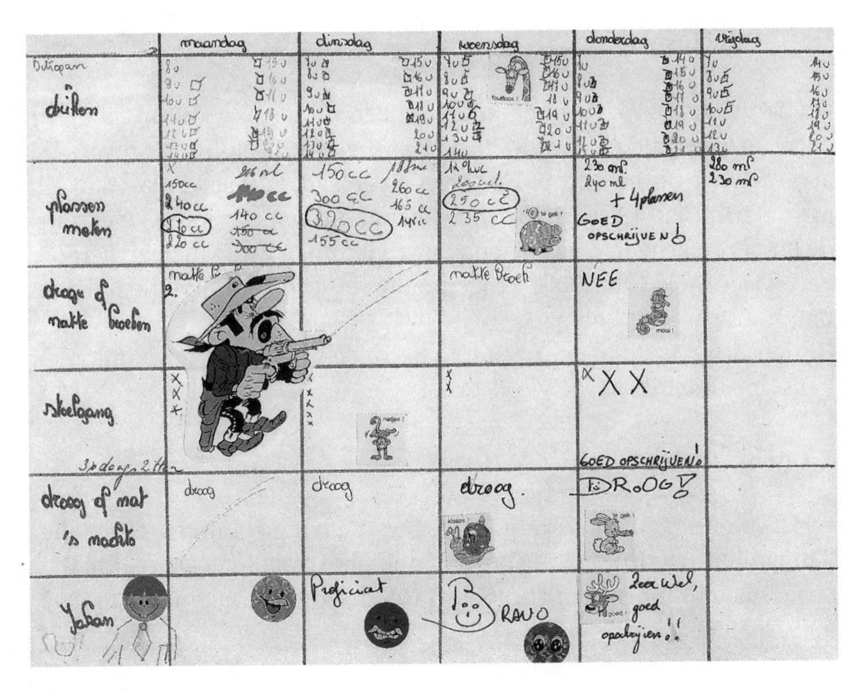

Figuur 40

Hoe verloopt een dag op de plasschool?

07u30	wassen en aankleden – ontbijt
08u30	les
11u00	urogym
12u30	middagmaal en rust
14u00	urogym
15u30	leertherapie
17u00	bezoek
17u30	avondmaal
20u00	einde bezoek
20u30	bedtijd

Kinderen en ouders zien vaak op tegen deze behandelingsmethode, maar het gaat vaak vlotter dan men dacht en de resultaten zijn uitstekend. De kinderen zelf beleven hun plasschool-carrière elk op hun eigen manier.

Conclusie

Op de plasschool krijgen de kinderen een intensieve training die een behandelingspakket vanuit de verschillende disciplines omvat. De accenten die binnen dit pakket worden gelegd, zijn aangepast aan elk afzonderlijk kind. De uitvoering gebeurt binnen een vaste structuur: de kinderen krijgen elke dag op vaste tijdstippen urogym, leertherapie en biofeedback. Daarnaast krijgen zij les en tijd voor andere activiteiten, zoals sport of hobby.
Gezien de intensiteit en de sterke betrokkenheid van het kind is de kans op zindelijk worden zeer groot.

Referenties

• J.D. Van Gool, M. Vijverberg, A. Messer, A. Elzinga-Plomp & T. De Jong, ‘Functional daytime incontinence: non-pharmacological treatment.’, Scandinavian Journal of Urological Nephrology Supplement, 141, pp. 93-103, 1992.

Het P.U.N.C.-team van het UZ Gent.
Voorste rij v.l.n.r.:
Ann Raes, Myriam Van Winkel, Hilde De Paepe, Catherine Renson.
Achterste rij v.l.n.r.:
Johan Van Daele, Karel Everaert, Piet Hoebeke en Johan Vande Walle.

In dezelfde reeks 'Gezondheid en Welzijn':
DE PIJN VOORBIJ, Dr. Bart Leroy en Mark van Tongele
REUMA LEREN BEGRIJPEN, Dr. Filip De Keyser
OMGAAN MET BORSTKANKER, Dr. Albert Clarysse

Omslagontwerp: Boudewijn Delaere
Grafische vormgeving binnenwerk: Eric Desombere
Illustraties: Thierry Pauli, Roberto Arnedo en Rita
Foto's: Erik Van Laecke

Coördinatie: 5th Floor, Danny Vandekerckhove
Eindredactie: Agnes Voet
Medische begeleiding: Dr. Tony Swinnen
en C.H. Demaree-Dekker

ISBN 90 209 2915 1 (Vlaanderen)
ISBN 90 6255 768 6 (Nederland)

D/1997/45/159
NUGI 732 - SBO 40

Gezet, gedrukt en gebonden bij Drukkerij Lannoo nv, Tielt